온라인 게임의 신부는
여자아이가 아니라고
생각한 거야?
Lv.9
Kineko Shibai
키네코 시바이 지음
ill:Hisasi

현실 세계의 사이토 선생님
합숙도 두 번째가 되니
이제 개별행동에 주의도 주지 않게 된
온라인 게임부 고문.
이사장님에게도 주목을 받고 있기 때문에
이제 도망칠 수 없습니다.
세가와 아카네/슈바인
현실 세계의
고쇼인 쿄우
현실에서는 꽤 유능한
모습이 전면에 드러나는
중과금충 아가씨.
화려한 활강 기술을 보라!
사이토 유이/고양이공주
현실 세계의
세가와 아카네
꼭 있다니까. 게임 속 기술을
시험해보려고 하는
좀 거시기한 아이가.
상태인 숨은 오타쿠(……?).
이제 전혀 숨기지 않는 거 아냐?
고쇼인 쿄우/애플리코트
온라인 게임부
설산 합숙 개최!
(별장은 마스터가 하룻밤 만에 준비해주었습니다.

현실 세계의
아키야마 나나코
요즘 이쪽으로 한 발 이상
들이밀고 있는 리얼충.
꽤나 뒤늦게 고양이공주
선생님과 똑같은 의문에
휩싸이는 중.
(합숙 첫 참가)
아키야마 나나코/세테
타마키 아코/아코
니시무라 히데키/루시안
현실 세계의
니시무라 히데키
귀가부&취미는 게임인
오픈 오타쿠.
스노보드보다
아코와 타는 썰매가
더 즐겁습니다.
현실 세계의
타마키 아코
온라인 게임과 현실을
구별하지 못하는
커뮤니케이션 장애
뇌돌이 설.
루시안과 함께라면
어디서 뭘 하는 즐거워요!

온천×아코
=설명 불필요!
"스톱, 아코, 스토~옵!"

“루~시~아~안!
당신의 아코가
왔어요~!”

Lv98 HP/22311 MP/783
Name Rusian
Job Armor Knight
Sex Male
Atk/89+251 Mat/35+49
Def/142+260 Mdf/74+5
Lv63 HP/8111 MP/1986
Name Sette
Job Demon's Master
Sex Female?
Atk/78+82 Mat/152+183
Def/88+190 Mdf/83+21
Lv89 HP/6434 MP/1988
Name Ako
Job Cleric
Sex Female?
Atk/52+90 Mat/156+0
Def/74+24 Mdf/131+18
온라인에서의 루시안
방어구 지상주의인 아머 나이트(♂).
튼튼함에는 자신이 있었지만…….
사인 : 아수라봉황각을 맞고 즉사.
온라인에서의 세테
가벼운 참가주의인 서머너(♀).
의외로 포인트를 잡아가며 육성하고 있지만 기습에는 이기지 못했다.
사인 : 가위로 목을 절단당해 즉사.
온라인에서의 아코
외모 지상주의인 클레릭(♀).
즉사하기도 했지만,
저, 신경 쓰여요!
범인은 이 안에 있어요!
루시안의 이름을 걸고!
진실한 사랑은 언제나 하나!
사인 : 스나이핑 헤드샷으로 즉사.

PK 습격?!
보이지 않는 적의
정체는—?
온라인에서의 애플리코트
과금 지상주의인 마법사(♂).
눈앞에서 차례차례 쓰러지는
동료들의 모습에 망연자실한 상태.
사인 : 뭐가 뭔지 모르는
사이에 사망.
온라인에서의 슈바인
화력 지상주의인 소드 댄서(♂).
하지만 그만큼 갑작스러운 습격에는
견뎌내지 못하는 종잇장 장갑의 소유자.
사인 : 등에 대량의 화살을
맞고 사망.
Lv92 HP/16921 MP/560
Name Schwein
Job Sword Dancer
Sex Male?
Atk/162+281 Mat/13+56
Def/79+151 Mdf/39+21
온라인에서의 고양이공주 님
아이돌 같은 존재인 카디널(♀).
우리의 여신 · 고양이공주 님께
이게 무슨 짓이냐!
사인 : 빙결 상태에서
번개 마법을 맞아 감전사.
Lv98 HP/22600 MP/2790
Name Nekohime
Job Cardinal
Sex Female?
Atk/42+93 Mat/302+223
Def/93+67 Mdf/184+25
Lv96 HP/14622 MP/5946
Name Apricot
Job Law Wizzard
Sex Male?
Atk/73+150 Mat/493+410×1.8
Def/86+278 Mdf/262+30

CONTENTS

And you thought there is Never a girl online?

DESIGNED BY AFTERGROW

온라인 게임의 신부는 여자아이가 아니라고 생각한 거야?

키네코 시바이 지음
Hisasi 일러스트
이경인 옮김

Lv. 9

프롤로그

공주천사

And you thought there is Never a girl online?

온라인 게임에서는 글을 써서 대화하는 게 보통이다.

보이스 챗이 도입된 게임도 있고, 감정 표현으로 마음을 전할 수도 있지만, 기본적으로는 문자 채팅으로 의사소통을 할 것이다.

평소에는 채팅만 할 수 있다면 곤란한 일은 없고, 오히려 입으로 말하는 것이 더 귀찮을 정도라니까.

하지만 채팅을 입력하는 것도 나름대로 수고가 드니까 GJ이나 NP 등의 약어를 쓰거나, 세세한 부분을 생략해서 이야기하기도 한다.

그러면 깜짝 놀랄 오해가 생기기도 한단 말이지.

반년쯤 전, 여름방학 때.

우연히 모두 볼일이 생겨서 나 혼자 로그인한 날이 있었다.

한가하니까 다른 파티에 섞여서 놀러 갈까 생각하던 차에 — 마침 이런 권유가 있었단 말이지.

◆†클라우드† : 오, 한가하냐? 그럼 여름 이벤트로 서머리조트가 한창이니까 다들 가지 않을래?

◆루시안 : 호오, 여름 이벤트로 뭘 하는데요?

◆†클라우드† : 진짜로 엄청나다고. 몇 명 모여 있으니까 30초 안에 준비해서 와.

◆루시안 : 예이예이, 오케이. 하지만 3분은 주시죠.

클라우드 씨도 나름대로 플레이 시간이 긴 사람이고, 그가 하는 말이라면 정말로 대단할 것이 틀림없다. 분명 경험치가 짭짤한 사냥터가 있는 거라 생각해서 나는 전투 장비를 입고 서머 리조트로 갔어. 값비싼 획득 경험치 상승 버프까지 써가면서.

그리고 약속 장소에 도착했더니—.

◆†클라우드† : 너희들 왜 그런 차림인데.

◆유윤 : 아니, 너도 그렇잖아.

◆너구리 사부 : 다들 이상하다구리.

◆루시안 : 그건 내가 할 말인데.

어째서인지 모인 사람들의 장비가 전부 제각각이었어.

구체적으로 클라우드 씨는 러닝셔츠에 반바지, 샌들.

유윤은 수영복에 물갈퀴, 한 손에는 바구니. 너구리 사부는 턱시도 같은 정장이었다고.

도저히 나 말고는 전투를 벌일 것 같은 차림이 아니었어.

이상한데? 뭐가 잘못된 거지?

◆루시안 : 지금부터 어디로 사냥 가는 거 아니었어? 경험치 버프까지 걸고 왔는데.

◆†클라우드† : 사냥이라고? 이 여름 이벤트에서 뜨겁다

고 한다면 서머 비치 레이스잖아!

◆루시안 : ……비치 레이스?

뭐야 그건. 전혀 들은 적 없는데.

◆†클라우드† : 100k 내면 참가할 수 있는 레이스 미니게임이야. 4인 참가고, 이기면 상금 300k를 받을 수 있다고. 짭짤하잖아.

◆루시안 : 그거 다함께 나누면 손해잖아!

네 명이 나누면 한 사람분의 돈이 사라져버리잖아! 대손해라고!

하지만 클라우드 씨는 씨익 짓궂은 웃음을 짓고 말했어.

◆†클라우드† : 무르군. 이 게임은 일정 이상의 속도로, 게다가 같은 시간에 결승점을 통과하면 동시에 1위가 될 수 있다고.

◆루시안 : 그렇다면…….

◆†클라우드† : 모든 직업이 도달 가능한 최속 수치인 이동 속도 1.75를 맞추고, 출발할 때부터 버튼을 계속 누르기만 해서 결승점에 동시 도착하면 모두 300k를 받을 수 있다! ―이런 담합으로 벌어들이는 게 엄청 뜨겁단 말이야!

◆루시안 : 우와, 뭐야 그 치사한 방법!

◆†클라우드† : 열심히 하면 시급 1M은 벌 수 있어.

◆루시안 : 엄청 뜨겁네! 하고 싶어!

◆†클라우드† : 나는 이걸 위해 이동속도 버프를 달고 왔

으니까. 다들 준비해 두라고.

그래서 러닝셔츠에 반바지라는 수수께끼의 장비를 입고 온 건가.

나는 납득했지만— 수영복 차림인 유윤은 고개를 붕붕 내저었다.

◆유윤 : 너희들 바보냐. 여름 이벤트에서 엄청 뜨겁다고 한다면 격조개잖아!

◆루시안 : ……격조개?

그쪽도 전혀 들어본 적이 없는데.

◆유윤 : 이벤트인 격전 조개잡이라고! 해안가에서 조개를 모아 보수 아이템과 교환! 한 시간 노력하면 이그물하고 교환할 수 있단 말이야!

◆루시안 : 진짜로?! 한 시간에?!

◆유윤 : 귀속 아이템이니까 판매는 불가능하지만, 탱커라면 갖고 있으면 손해는 아니잖아?

◆루시안 : 갖고 싶어! 엄청 갖고 싶어!

팔지 못하는 건 아쉽지만, 문답무용의 완전 회복 아이템인 이그드라실의 물방울은 탱커로서 가능한 한 갖고 싶어!

◆유윤 : 나는 드롭률 증가 버프를 쓰고 왔으니까 다들 버프를 써서 격조개!

◆†클라우드† : 그럼 내 이동속도 버프는 어쩔 거야.

아앗, 두 사람이 충돌하기 시작했어!

◆루시안 : 자자, 나도 경험치 버프 걸고 왔지만 포기할 테니까.

◆너구리 사부 : 기다려라구리! 오늘 가장 뜨거운 이벤트는 그 두 곳이 아니다구리!

그때, 이번에는 정장 차림의 너구리 사부가 말했다.

◆루시안 : 가장 뜨거운 이벤트, 뭐가 있는데요?

◆너구리 사부 : 오늘은 유명한 여왕벌인 백합백합공주의 결혼식이 있다구리!

◆†클라우드† : 거짓말이지? 진짜냐?!

◆유윤 : 그 백합백합공주(웃음)가?

……아, 응. 그런 사람이 있었지.

이 서버에서 그럭저럭 유명한, 주변에 거느리는 남자가 여럿 있다는 여왕벌 캐릭터, 백합백합공주 씨.

◆유윤 : 백합백합공주가 드디어 결혼해? 다섯 명 정도한테 프러포즈 받았었잖아?

◆너구리 사부 : 결혼하는 모양이다구리. 하지만 결혼 상대가 누구인지는 아직 발표하지 않았다구리. 상대는 결혼식장에서 밝힌다고 한다구리.

◆루시안 : 뭐야 그 재미있어 보이는 이벤트.

굉장히 보고 싶은데?

◆†클라우드† : 하지만 백합백합공주는 내용물이 아저씨라는 소문이 있지 않았나?

◆유윤 : 그건 괜찮지 않아? 어차피 주변 사람도 전부 아저씨일 테니까.

◆너구리 사부 : 즉, 아저씨가 아저씨한테 프러포즈해서, 아저씨와 아저씨가 결혼하고, 아저씨에게 차인 아저씨가 우는 이벤트다구리.

◆루시안 : 우와아아아아아아! 그 어둠밖에 보이지 않는 이벤트 엄청 뜨거워 보여! 보고 싶어!

◆†클라우드† : 확실히…….

◆유윤 : 보고 싶어…….

◆너구리 사부 : 결정이다구리! 전부 정장 입고 집합이다구리!

이렇게 해서, 일부러 비싼 버프까지 걸고 모였던 우리는, 만난 적도 없는 상대의 결혼식에서 버프 효과 시간을 몽땅 써버리고 말았지.

◆루시안 : 이런 일이 있었어.

내가 이야기를 마치자, 아코가 손을 척 들었다.

◆아코 : 질문인데요! 그 결혼식은 결국 어떻게 됐나요?

◆루시안 : 백합백합공주가 가장 비싼 반지를 준 사람이랑 결혼할래♪ 라는 말을 꺼내는 바람에 결혼식장에서 신랑 다섯 명이 자기 장비를 헐값으로 팔아치우는 대참사가 벌어졌어.

◆아코 : 어째서 그런 사람과 결혼하고 싶어 하는 걸까요…….

◆루시안 : 나도 전혀 모르겠어.

영원한 수수께끼지만, 내가 말하고 싶은 건 그게 아니야.

◆루시안 : 난 말이지, 제대로 이야기를 하지 않으면 상상도 못할 오해가 생겨날 수 있다는 이야기를 하고 싶은 거야.

◆아코 : 아, 알겠어요! 그건 즉!

아코가 드레스 옷자락을 살짝 쥐더니 우아한 동작으로 말했다.

◆아코 : 제대로 말을 하지 않으면 나이트 킹덤에 가자고 한 루시안이 어째서인지 무거워 보이는 갑옷을 입고 온다는 뜻이네요!

◆루시안 : 몬스터가 산더미처럼 몰려오는 나이트 킹덤에서 사용 중에는 전투 불가인 드레스 아바타를 입고 온 아코, 네 이야기야!

지금도 주변은 적들로 넘쳐나잖아! 지나가는 사람이 의아한 표정으로 두 번씩 보고 있거든?!

어째서! 어째서 이렇게 된 거냐고!

◆아코 : 그치만 나이트 킹덤 상층은 경치가 엄청 예쁘잖아요! 게다가 성이고요! 루시안의 권유라서 제대로 꾸미고 온 거라고요!

◆루시안 : 그 상층까지 어떻게 가냐고오오오오오!

오래 알고 지냈고, 게임 속에서는 부부까지 됐고. 서로를 잘 알고 있긴 하지만, 우리에게는 이런 엇갈림이 꽤 자주 일어난다.

하물며 현실에서는 커뮤니케이션 장애이기도 하므로 좀 더 커다란 오해가 생겨나더라도 이상하지는 않다— 라는 것을 이때의 나는 전혀 생각하지 못했다.

1장 프리스타일 보더

And you thought there is Never a girl online?

하늘하늘 내리는 눈.

멀리 보이는 설산을 배경으로 눈사람이 늘어서 있고, 눈이 그 위에 천천히 쌓여갔다.

환상적이라고 할 수도 있고, 서정적이라고 할 수도 있는 그런 평화로운 경치.

평소라면 분명 마음이 편안해지는 광경이겠지만, 지금의 내게는 싸움의 끝을 예고하는 표지판에 지나지 않았다.

◆루시안 : 좋아. 여기가 승부를 걸 때다! 더욱 가속!

몸을 앞으로 기울이자 발밑의 눈이 퍽 잠기며 보드가 가속했다.

눈사람 옆을 스치듯이 맹렬한 속도로 설산을 미끄러져 내려갔다.

현재 순위는 1위. 이대로 가면 가장 먼저 결승점에 들어서는 건 나다.

그러나 그렇게 간단히 이길 수 없다는 것은 지금까지의 경험으로 잘 알고 있었다.

◆슈바인 : 어설퍼! 그 정도의 속도로 이 몸에게 이길 수 있으리라 생각했냐!

뒤쪽에서 사악 하고 눈을 박차는 소리가 들렸다.

뒤를 돌아보자, 경쾌하게 회전하면서 공중 트릭을 시전해 그 특혜로 한층 더 가속을 붙인 대전 상대의 모습이 보였다.

◆루시안 : 에에엑?! 어디서 점프한 거야! 점프대 같은 건 없었잖아!

◆슈바인 : 더욱 빠른 속도를 갈구한 이 몸의 영혼이 담긴 기술이다!

거짓말 하지 마! 내가 모르는 이상한 테크닉이잖아!

이런 말을 할 새도 없이 공중 트릭 보너스로 가속한 슈가 내 옆을 지나갔다.

큭, 이걸로 2위. 적어도 이대로 결승점에 들어가고 싶다.

그런 나의 소극적인 마음을 꿰뚫어본 것처럼—.

◆아코 : 와와와와와왓.

갑자기 어딘가에서 툭 튀어나온 아코가 구르면서 아득한 전방으로 떨어졌다.

그리고 어딘가에서 튀어나온 플라잉 포와링에게 구조를 받아 당연하다는 듯이 내 앞으로 미끄러지기 시작했다. 뭐야 이건?!

◆아코 : 우우우, 쇼트 컷은 편하기는 하지만 조금 무섭네요.

◆루시안 : 아니아니아니, 어디서 나온 거야!

◆아코 : 뒤쪽에 샛길하고 점프대가 있는데요?

◆루시안 : 우와아, 몰랐다고!

내가 모르는 샛길을 사용한 아코에게 추월당해서 순위가 한층 더 떨어졌다.

하지만, 아직 최하위는 아니야!

◆애플리코트 : 후하하하하하!

그러나 그런 나를 비웃듯이 뒤에서 커다란 웃음소리가 들려왔다.

◆애플리코트 : 느리다, 느리구나 너희드ㅇㅇㅇㅇㅇㅇㅇㅇ을!

빛나는 스노보드를 탄 마스터가 도플러 효과 같은 채팅을 남기고는 맹렬한 스피드로 우리를 앞질러갔다.

그대로 1위로 골 테이프를 끊었— 지만 아무래도 속도를 제어하지 못한 건지 눈더미에 처박히고 말았다.

◆아코 : 흐아앗, 저 빛나는 스노보드는 뭔가요!

◆루시안 : 마스터잖아. 아마…….

내 예상대로, 1위로 골인한 마스터는 잘난 듯이 말했다.

◆애플리코트 : 이것이 한정 아이템, 골든 보드의 힘! 역시 현금이야말로 파워인 것이다!

◆슈바인 : 이런 데 돈 쓰지 말란 말이야!

◆아코 : 다음부터는 사용 금지에요!

◆애플리코트 : 어째서냐?!

뜨거운 배틀이 엉망이 됐어. 정말이지.

이곳은 전에 개최된 포와링 레이스장과 똑같은 마을에 있는 스키장.

방금 전까지 우리 네 명은 스노보드를 장비하고 스노보드 레이스 미니게임으로 대전을 벌였다.

해보니까 의외로 즐거워서 오늘은 여러 번 하고 있었다.

◆루시안 : 젠장. 중간까지는 꽤 좋았는데.

◆슈바인 : 느린 캐릭터일수록 속도 보너스가 있으니까 1위로 달렸다간 추월당하잖아ㅋ

◆루시안 : 너희들은 꼭 어딘가에서 넘어지잖아. 실수 없이 달리면 괜찮을 거라고 생각했는데 말이지.

◆아코 : 쇼트 컷이 성공했다면 저도 1위 골인이 가능했어요!

◆애플리코트 : 훗. 보드가 없더라도 내게 이길 수 있으리라 생각지 마라!

◆슈바인 : 말 한번 잘 하는군! 그럼 한 번 더!

바로 그때.

내 휴대폰이 띠리리리링 하고 울리기 시작했다.

◆루시안 : 아, 전화다. 잠깐만.

채팅을 하나 치고 휴대폰 화면을 봤다.

표시된 것은 본 적 없는 번호였다.

모르는 번호니까 무시해도 상관은 없었지만…… 일단 받아봤다.

"여보세요?"

『아, 니시무라? 나야, 나. 지금 잠깐 괜찮아?』

뚝.

뚜—. 뚜—.

"거, 거짓말……."

아아, 무심결에 끊어버렸다.

굉장히 자주 들어본 목소리였지만, 너무나도 예상 밖이었기 때문이다.

그치만 그 사람한테 번호 알려준 적이 없다고.

하지만 걸려왔단 말이지…… 그렇게 휴대폰을 빤히 바라보고 있는데…….

띠리리리링 하고 다시 착신음이 울렸다.

방금 전과 똑같은 번호다. 그렇다면—.

"……네. 여보세요?"

『밤늦게 죄송합니다. 저, 아키야마 나나코라고 합니다. 니시무라 씨의 전화가 맞는지요?』

우와아아아아아아, 엄청 정중하게 나왔잖아!

"아키야마! 끊어버린 건 사과할 테니까 평범하게 이야기해 주시죠!"

『아, 그래? 실례였나~ 싶었는데.』

그런 이유로 끊어버린 게 아닙니다.

반사적인 행동이었다고요.

"그보다 내 번호 알려준 적이 없는 걸로 알고 있는데. 어떻게 알고 있는 거야?"

『아카네 휴대폰에 있던 걸 몰래 봤어.』

"훔쳐봤다고?! 그, 그거 친구사이에서 괜찮은 행동이야?!"

『아니. 이런 사건이 있으면 보통 절교까지 가능한데?』

"너 대체 무슨 짓이냐고!"

행동이 위험천만하잖아!

『괜찮아괜찮아. 아카네하고는 절친이니까!』

"절친이라는 말로 전부 용납되는 거야?!"

몸집은 작지만 마음이 넓은 것으로는 정평이 난 세가와지만 그래도 화내지 않을까?!

『오히려 아는 게 당연하다고! 니시무라가 가르쳐주지 않는 게 이상하다니까!』

"메일 주소 교환하려고 하면 아코가 화를 내니 말이야."

『……하긴 그렇지. 이상하네~, 아코도 니시무라도 친구라고 생각하는데."

전화 너머에서 쓴웃음을 짓는 그녀가 보이는 것 같았다.

"그런데, 무슨 볼일입니까?"

『아, 맞다맞다. 잠깐 묻고 싶은 게 있어서. 니시무라, 스노보드 탈 수 있어?』

"뭐, 일단은. 멤버들 중에서 내가 제일 느리지만."

화면을 힐끔 보며 대답했다.

스피드에서는 아코에게도 지는 성적이지만 못 타는 건 아니다.

『아, 전원 탈 수 있어?』

"다들 나보다 잘 탑니다만."

『다행이다! 그럼 다함께 스노보드 타자! 결정!』

"물론 상관은 없지만."

지금도 타고 있으니, 세테 씨도 오는 건가? 라고 생각했는데—.

『그럼 그렇게 알고 준비해둘 테니까! 바~이!』

"바~이라니, 어? 끊은 거야?!"

보복이라는 듯이 뚝 하고 끊어버렸어!

어? 준비라니 무슨 소리야?! 온라인 게임 이야기가 아니었어?!

별것 아닌 이야기라고 생각했는데, 아키야마가 한 말이다 보니 왠지 불길한 예감이…….

◆루시안 : 나 왔어…….

◆아코 : 어서 오세요. 전화는 무슨 용건이었나요?

◆루시안 : 잘 모르겠지만…… 응. 별거 아냐. 별거 아냐.

◆아코 : ……??

별것 같다는 생각이 들었지만, 나는 얼버무리듯이 말했다.

††† ††† †††

며칠 후.

마에가사키 고등학교, 3학기 종업식 당일.

"그럼 다음. 니시무라."

"네."

이름을 불린 나는 천천히 일어났다.

3월에 접어든 교실의 공기는 아직 쌀쌀한 정도지만, 내 다리가 떨리는 이유는 결코 추위 탓이 아닐 것이다.

한계 이상까지 다다른 긴장감과 불안함으로 내 몸이 마치 제어에서 벗어난 것처럼 느껴졌다.

교단을 향해 천천히 걸어가며, 썩은 동태 같은 눈을 한 우리 반 아이들의 옆을 지나칠 때마다 등에 꺼림칙한 땀이 배어나왔다.

"니시무라 히데키 군."

그녀는 사람을 속여서 지옥으로 인도하는 악마처럼 달콤한 목소리로 말했다.

"자. 1학년 통지표야."

"……예입."

평소였다면 왠지 친근함이 느껴졌을 사이토 선생님의 얼굴이 마치 악귀처럼 느껴졌다— 라고는 말하지 않겠지만.

젠장. 남 일이라고 천연덕스러운 표정이네.

"그런 표정을 짓지 않아도 괜찮은데?"

"그런 소리를 하면서도 심한 성적을 매기잖아요!"

그 1학기 보건체육처럼!

야구 수업은 야구 경험자가 고득점이 나올 게 뻔하잖아!

"나는 니시무라의 성적에 나쁜 점수를 매긴 적이 없는데."

"네. 불안한 건 국어가 아니긴 하지만요."

사이토 선생님은 국어 담당이고, 자기 과목 밖에는 점수를 매기지 않긴 하지만.

그렇게 받아든 종이는 하얗고, 두껍고, 꽤나 거창했다.

선생님께 건네받은 종이 중에서 가장 질이 좋아 보이는 게 그 중요함을 드러내주는 것 같아서, 갖고 있는 것만으로도 정말로 싫어진단 말이지.

"자, 그럼."

자리로 돌아가서 숨을 가다듬었다.

다음 학생이 불려가는 모습을 슬쩍 바라보면서 내 통지표를 양손으로 들었다.

"도망치면 안 돼. 도망치면 안 돼. 도망치면 안 돼!"

결과를, 결과를 보는 거야!

결의를 담아, 확 펼쳤다.

적혀있는 숫자는— 7, 6, 9, 6, 6…….

으, 으~음. 응!

기대를 넘지는 않았지만, 간당간당하게 허용 범위!

체육이나 수학 같은 것들은 조금 불안감이 있었지만 현대 문학하고 정보가 평균을 끌어올려서 그럭저럭 좋은 느낌이었다. 아마도, 허용될 수 있을 정도로.

좋았어. 이거라면 부모님께 보여드려도 『컴퓨터는 조금 삼가라』 같은 말을 듣지 않을 수 있겠어!

"세이프!"

나는 작은 목소리로 승리의 포즈를 취했다.

"너, 그렇게 졸업이 위험해질 정도로 성적 안 좋았어?"

그때 옆자리의 — 우연찮게 마지막 학기만 옆이었다 — 세가와가 고개를 갸웃하며 물었다.

"그 정도까지는 아니지만, 이러니저러니 해도 볼 때는 긴장되잖아?"

"받기 전에 예상은 되잖아."

먼저 받았던 세가와는 여유로운 표정으로 어깨를 으쓱했다.

어이쿠. 이 태도는 좋은 성적이라는 예감이 드는걸.

"너는 그렇게 좋았어?"

"볼래?"

"……아니, 사양할게."

가벼운 태도로 건네받은 통지표를 나는 받지 않고 돌려줬다.

"그렇게 간단히 남한테 보여줄 수 있는 녀석이야 불안 같은 게 없겠지마안."

"원망스럽게 바라보면 곤란해."

세가와는 쓴웃음을 지었다.

"애초에 문제는 우리가 아니라 개잖아."

"아코 말이지……."

지금쯤 우리의 후배가 될지 말지의 갈림길에 서 있을 내 신부를 떠올리며 둘이서 한숨을 내쉬었다.

"그 녀석, 시험은 괜찮았다고 하긴 했지만…… 괜찮으려나……."

"글쎄……."

두 번째 1학년만큼은 피해줬으면 좋겠다.

그럴 생각으로 아코와 공부를 거듭해오긴 했지만.

과연 그 결과는—.

『해냈어요, 루시안!』

복도에서 그런 큰소리가 들려왔다.

주변 시선이 내게 확 집중됐다. 우리 반 여러분, 루시안=나라는 해석은 그만둬주시죠. 나긴 하지만.

"지금 뭔가 들리지 않았어?"

"……들렸, 지."

고등학교 1년 중 최대 퀘스트, 학년말 성적 발표.

아코는 아무래도 클리어한 것 같다.

수업 같은 건 받아봤자 소용없다. 어차피 잊어버린다.

무심코 하는 말이긴 하지만, 그건 새빨간 거짓말이라는 사실을 나는 알고 말았다.

"전 과목…… 재시험 없음…… 이라고……."

"해냈어요, 루시안! 제게 불가능은 없어요!"

아코가 보여준 고등학교 1학년 통지표.

결과는 설마 하던, 전 과목에서 진급 가능한 합격점.

아니, 진정한 의미에서의 합격점이라기엔 여러모로 손색이 있는 성적이었지만, 그럼에도 내년에 2학년으로 올라갈 수 있는 점수였다.

"다시 한 번 1학년을 해도 괜찮았지만, 그럼 모두에게 버림받을지도 모르니까…… 아아, 위험할 뻔했어요……."

"그 정도로 버리지는 않을 텐데."

어째서 너는 언젠가 자기가 버림받을 지도 모른다는 불안감에서 벗어나질 못하는 거냐고.

"이야~ 하지만 정말 노력했구나! 잘 했어! 하면 되잖아, 아코!"

"우우우, 루시안에게 그런 말을 듣기 위해 노력했어요오."

달라붙는 아코의 머리를 스윽스윽 쓰다듬었다.

아아, 다행이야. 정말 다행이야. 같이 진급할 수 있다니, 이렇게 기쁜 일이 없다니까.

"……가장 좋은 성적이 3학기 현대문학이고, 그것도 6이긴 하지만…… 이 성적으로 저렇게 칭찬받는 모습을 보니 조금 부럽기도 하네."

"나는 대부분 10이다만. 조금은 칭찬해줘도 좋은 성적 아닐까?"

"쿄우 선배. 바보 같으면서도 머리가 엄청 좋네."

"바보 같다는 부분에 정정을 요구하고 싶군."

"그럴 경우에는 「같다」가 사라질 거야."

"어째서냐! 납득할 수 없다!"

마스터가 POI, POI 하고 슬프게 울부짖었다.[#1]

어째선지 성적 TOP이 풀이 죽어 있지만, 그건 넘어가고.

현대통신전자 유희부는 전원 무사히 퀘스트 클리어.

2학년과 3학년으로 클래스 체인지했다.

"그럼, 통지표를 받은 상황에서 말이다만."

마스터가 어흠, 헛기침을 하고는 우리를 둘러보며 말했다.

"이번에 내 쪽에서 모두의 통지표를 준비했다!"

"엥?"

통지표? 마스터가 우리한테?

"길드 마스터로서, 너희들의 성적을 평가하고자 말이지."

훗훗훗 하고 웃으며 마스터는 학교 통지표와 똑같은 종이를 꺼냈다.

진짜 용지를 사용했어! 직권남용이잖아!

"진짜냐고. 이제 통지표는 필요 없거든?"

"우우우, 겨우 지옥을 빠져나왔는데요!"

"딱히 나쁘다고 해서 어떻게 되는 건 아니잖아. 마스터의 개인적인 의견이니까."

#1 마스터가~울부짖었다 일본어로 『~와 같은(っぽい)』은 어조가 귀엽기 때문에 입버릇으로 쓰는 캐릭터가 많다.

그렇긴 하지만, 역시 긴장되잖아!

"그럼 먼저 루시안."

"나부터냐!"

젠장, 쓸데없이 두근거리잖아.

조심조심 건네받아 펼치자 정말로 통지표 같은 평가가 적혀 있었다.

우와, 이 사람 정말로 만들었어.

"10단계 평가고…… 탱킹 안정도가 8, 경험치 효율이 5, 로그인 빈도가 8, 플레이어 스킬이 8, 장비가 4……."

"장비 점수가 낮은 건 미안하다. 불행한 사건이었지만 올해는 장비를 잃어버린 1년이었으니까. 내년에는 그 점을 한층 더 향상시키기를 기대하마."

"아니, 지적할 곳은 거기가 아닌데."

왜 이런 영문 모를 사항을 진지하게 평가한 거냐고, 이 통지표.

게다가 후반은 더더욱 이상하잖아.

"인맥 8, 레어 드롭 6, 아코 사랑 10이라니, 뭐야 이거."

"루시안의 친구 관계는 부러운 부분이 있으니 말이지."

"그런 건 계속 게임하다 보면 자연스레 늘어난다니까."

"온라인 게임이건 현실이건 친구를 못 만드는 사람은 있는 법이다……."

마스터가 다 죽어가는 눈으로 말했다. 죄송합니다, 죄송합니다.

"어어, 이 아코 사랑 10이라는 건?"

"루시안의 올해 최대 사건은 아코와의 결혼 아니냐?"

"……아, 그러고 보니 아코랑 결혼하고 나서 아직 1년도 지나지 않았나."

벌써 몇 년간 부부였다는 기분이 든단 말이지.

함께 있는 게 너무 익숙해져서 그런가.

"그런고로, 내년에는 그 점수를 한층 더 늘리게끔 노력하도록."

"경험치 효율이랑 장비가 난점인가. 듣고 보니 자각하고는 있었을지도."

효율적인 사냥이 좀 부족하네~ 라는 생각은 하고 있었으니까.

성실하게 했다면 레벨도 오르고, 장비도 갖춰졌을 거다. 하지만 모두와 건성건성 노는 게 즐거워서 비효율적인 일도 엄청 많이 했단 말이지.

으~음. 남에게 들으니까 확실히 알 수 있구나.

그리고 아코 사랑이 상한에 달했다는 건 이 이상 노력하지 않아도 된다는 건가?

"다음, 슈바인."

"나는 올(all) 10일 거야."

자신만만하게 받아든 세가와는 마스터가 만든 통지표를

펼쳤고—.

"……."

미묘한 표정을 지으며 척 닫았다.

어이어이, 뭐라고 좀 말하라고.

"왜 그래? 아카네."

"안 돼."

세가와는 손을 내민 아키야마에게서 통지표를 슬쩍 숨겼다.

"현실 통지표는 바로 보여주던 주제에 왜 그러는데?"

"그치만 이거 평가 기준이 이상하단 말이야."

세가와는 우리에게서 숨기듯이 통지표를 노려봤다.

"뭐, 한 방 즉사 4라든가, 지나친 죽음 3이라든가, 돌연사 2라든가, 이런 걸로 평가가 내려가는 건 납득할 수 있어."

"너무 죽잖아, 너."

"그 탓에 경험치 효율도 너보다 낮은 4이긴 하지만."

화력 특화인 슈바인은 사망 페널티가 무겁게 여겨지는 모양이다.

"납득이 안 가는 건 이거야!"

세가와는 통지표를 탁탁 두들기며 외쳤다.

"이 롤 플레이라는 항목! 평가가 3이라니 뭐야! 내 슈바인한테 불만이라도 있어?!"

"거기가 불만인 거냐."

"당연하지! 뭘 위해 온라인 게임을 한다고 생각하는 거야!"

그걸 위해 온라인 게임을 하고 있었어? 오히려 엄청 의외인데?!

"진정해라, 슈바인. 결코 슈바인의 롤 플레이에 불만이 있는 건 아니다."

하지만, 이라며 마스터는 말을 이었다.

"요즘 본모습이 나오는 빈도가 늘어나고 있기 때문에 롤 플레이에서는 낮은 점수를 매긴 거다."

"으…… 그, 그치만, 너희들 앞이 아니라면 제대로 한다고."

제대로 한다고 말하는 시점에서 이미 여러모로 붕괴된 느낌이 드는데.

"일단 죽지 않으면 되는 거잖아. 그쪽부터 개선할 거야."

세가와는 그런 해석을 한 모양이었다.

탱커로서는 자신이 원인이 아니라 해도 파티 멤버가 죽으면 괴롭다.

부디 개선해줬으면 좋겠다.

"다음, 세테."

"네~에."

아키야마는 기뻐하며 통지표를 받고는 흠흠 끄덕이며 바라봤다.

"어떤가요?"

"으~음. 글쎄~?"

세가와와는 달리 바로 보여주었다.

평가는 경험치 효율 3, 로그인 빈도 3 등 낮은 수치였지만, 높은 것도 드문드문 보였다.

"뭐야 이거. 인맥이 10이라니 대단하네."

"그렇게 친구가 많지는 않은데?"

"많지 않다니, 지금 친구 몇 명 정도인데?"

"……80명 정도?"

"많잖아!"

우와, 벌써 친구가 그렇게 생겼어?

슬슬 친구 리스트가 꽉 찰 것 같은데.

"이러니저러니 해도 게임 시작한 지 벌써 10개월이나 됐는데? 그렇게 생각하면 적지 않아? 언제나 전원하고 이야기하는 것도 아니고."

"무서워요 무서워요. 이 사람 무서워요."

"아코의 친구 리스트는 새하야니까."

친구 리스트가 거의 공백 상태인 아코가 떨고 있었다.

하지만 상호 친구가 아니라 일방적으로 아코를 친구 등록한 사람은 꽤 있는 것 같았다. 가끔 이상한 귓속말이 날아오니까.

"요즘은 다른 길드 멤버한테서 세테 이야기를 듣는 일이 종종 있어서 말이다…… 길드 마스터란 대체……."

"마스터는 친구 타입이 아니라 카리스마 타입이니까, 적성 문제 아닐까?"

세가와가 발돋움을 하고 마스터의 머리를 어루만졌다.

그리고 다른 항목은 어떤지 살폈다.

장비 4, 채팅 참가율 3, 다음으로 무땅, 1.

"……무땅의 평가가 1?"

"아, 진짜다!"

그 항목을 발견한 세테 씨가 손을 번쩍 들었다.

"쿄우 선배. 무땅이 1이라는 건 납득이 안 가는데요~. 우리 무땅은 엄청 귀엽다고요~!"

"귀여움의 문제가 아니다. 움직임의 문제다."

마스터는 떨떠름한 얼굴로 고개를 내저었다.

"AI를 재조정하면 다시 고려해보마. 위키의 AI를 그대로 유용하면 그것만으로도 아무런 문제가 없겠다만……."

"그래선 애정이 부족하잖아~!"

"그렇다고 『자동 이동, 자동 전투, 자동 스킬』에 애정이 있는 것 같지도 않은데."

"동물은 자유로운 법 아냐?"

"아니. 그 녀석 소환수거든?"

이미 AI라는 의미가 없는 무땅의 AI 설정이었다.

"그럼 마지막으로 아코."

"네!"

아코는 나와 마찬가지로 긴장된 모습으로 통지표를 건네

받았다.
분명 반에서 통지표를 받았을 때도 이런 느낌으로 떨고 있었겠지.
"우우우…… 보는 게 무서우니까 루시안이 대신 봐주세요!"
"넘겨줘봤자 나도 무섭다고."
뭐라고 적혀있는 건데. 아코의 통지표.
조심조심 통지표를 열어보자—.
"회복력 3, 경험치 효율 3, 플레이어 스킬 2, 장비 3……."
"우우우우우."
나쁜 평가에 아코가 울상을 지었다.
하지만 이후부터는 꽤 좋았다.
"그리고 로그인 빈도 10, 채팅 참가율 10, 파티 사냥 참가율 8."
"현실 통지표보다 좋아요!"
아코가 눈을 반짝였다.
아니, 이 평가는 항목이 이상하거든. 로그인 빈도라니, 현실에서 따지면 높을수록 글러먹은 인간이잖아.
그리고 명백하게 이상한 것이 하나.
"그리고…… 뭐야? 이거. 루시안 사랑 100이라니."
완전히 테두리에서 삐져나와서 100이라고 적혀있는데?
"어떻게 할지 고민했다만…… 10단계 평가에 넣을 수가 없어서 말이다…….”

“대체 얼마나 큰 사랑이냐고. 무섭잖아.”

“루시안 사랑 100점!”

아코가 엣헴 하고 가슴을 폈다.

“루시안도 올해는 저를 향한 사랑을 좀 더 올려야겠네요!”

“내 점수도 상한인데 말이지.”

10단계 평가라고? 이건 오히려 너무 지나치니까 조금 삼가라는 의미 아닐까?

“그럼, 길드 통지표는 이상이다. 이걸 참고로 해서 내년에도 열심히 해줬으면 한다.”

이렇게 마스터가 이야기를 매듭지었다.

응? 이것뿐?

“……끝?”

“중요한 걸 잊어버리지 않았나요?”

잘난 듯이 말하는 마스터에게 우리의 시선이 쏟아졌다.

“왜, 왜 그러나? 전원에게 다 나눠줬을 텐데?”

아니아니, 평가받지 않은 사람이 한 명 있잖아.

“자기 할 말 실컷 했으니까 마스터한테도 성적을 매겨줘야지 않겠어?”

“그렇지.”

“그렇죠.”

"응!"

무사히 의견의 일치를 봤다.

"기다려라. 학생이 교사에게 통지표를 주다니 이상하지 않나! 길원이 길마를 평가하는 것도 이상하다!"

"길원하고 길마는 평등하잖아!"

"괜찮아, 제대로 생각해줄 테니까."

"일단 장비 10, 딜링 10 같은 건 확정이겠지."

"로그인 빈도는 니시무라보다 낮으니까 6이겠네."

"쿄우 선배의 이야기는 그다지 게임 안에서 듣지 않으니까 인맥은 4 정도려나?"

"그리고 넣고 싶은 항목은……."

"앗!"

아코가 손을 탁 치며 말했다.

"과금액!"

"아아, 그거 중요한 평가기준이네!"

"마스터의 과금액을 10단계 평가로 하면……."

"100이네."

"100이네요."

"이의 없음!"

"결정 났네!"

"어째서냐?! 10단계 평가인데?!"

한계를 초월한 과금을 본 1년이었다.

내년에는 좀 더 줄이도록 노력해주기를 바라고 있습니다.

"아, 아무튼. 결론적으로 우리에게 부족한 것은 진지한 경험치 쌓기라는 뜻이 되겠군."

마스터는 마음을 다잡듯이 말했다.

"그러고 보니 다들 경험치 효율은 성적이 나쁘네."

"모두 함께 노는 일이 많으니까 말이지."

"스노보드라든가."

요즘 앨리 캣츠는 스노보드 레이스가 소소하게 한창이다.

이런 식으로, 다른 재미있는 놀이를 찾아내면 아무래도 경험치 벌이에 소홀해진단 말이지.

"괜찮아요! 인생은 레벨 올리기가 전부가 아니라고요!"

"인생으로까지 확대해서 말하면 조금 반론하고 싶어지는데."

인생에서 레벨 올리기는 어느 정도 필요하다고 생각한다고.

"그런고로, 본론으로 들어가려 한다."

마스터가 화이트보드 앞으로 이동했다.

"올해 마지막 미팅이니 의제는 당연히, 봄방학에 대해서다."

"아, 역시 그렇구나."

아키야마가 기쁜 듯이 말했다.

"봄방학은 짧으니까 제대로 생각해두지 않으면 바로 끝나버리잖아!"

"음. 세테의 말이 맞다."

마스터가 잘 알고 있구나, 라며 끄덕였다.

"봄방학 기간은 고작 2주일이다. 보람찬 시간으로 만들기 위해, 지금부터 확실한 예정을 정해둬야만 하지."

"그렇지!"

이 두 사람이 의기투합하다니, 왠지 무섭습니다만.

애초에 봄방학이 그렇게 중요한 이벤트였던가? 라며 아코에게 시선을 돌리자—.

"……네?"

붕붕 고개를 내저었다. 잘 모르는 모양이다.

"봄방학에 뭔가 있었어?"

세가와도 모르겠다는 듯이 어리둥절하고 있었다.

"있지, 아카네. 이 봄방학은 중요해."

그런 그녀에게 아키야마는 이해력이 부족한 학생에게 말하듯이 몸을 앞으로 기울이며 검지를 세웠다.

"음. 중요하다."

마스터도 무겁게 말했다.

그리고 두 사람은 동시에 입을 열었고—.

"바로, 우리가 1학년으로서 맞이하는 마지막 휴일이니까!"

"올해 안에 가장 레벨을 많이 올릴 수 있는 마지막 장기 휴일이기 때문이다!"

나온 말은 완전히 달랐다!

"어?"

"음?"

두 사람은 얼굴을 마주 보며 의아한 듯이 서로를 바라봤다.

"잠깐잠깐, 레벨 올리기? 모처럼 봄방학인데 열심히 레벨 올릴 거야?"

"음. 조금 전 말했듯이, 우리는 레벨 업에 대한 열정이 부족하다. 그러니 봄방학 때는 각자 할당량을 정해놓고 매일 경험치를 쌓는 습성을 들이는 것부터 시작하고 싶다."

"에엑, 또 할당량 정할 거야?"

"게다가 경험치, 인가요…… 괴로운데요……."

"나, 어떤 날에는 경험치가 줄어드는데……."

우리의 반응은 떨떠름했다.

그러나 그 이상으로—.

"그럴 때가 아니야!"

아키야마가 힘차게 말했다.

"레벨 업 같은 건 언제라도 할 수 있어! 그보다 좀 더 중요한 게 있잖아!"

"레벨보다 중요한 것, 말인가요?"

"그런 게 있었던가? 게임 머니?"

경험치는 모든 것보다 우선된다! 라고까지는 하지 않겠지만 상당히 중요하다고 생각하는데.

"있잖아! 있어있어! 그도 그럴게, 이게 마지막이잖아!"

아키야마는 매우 열의가 넘쳐났다.

그렇게 열변을 토해도 곤란한데…… 어, 마지막?

"마지막이라니, 뭐가 마지막이야?"

"그야, 이 멤버로 부활동하는 건 봄방학이 마지막이잖아?"

그녀는 태연하게 말했다.

그렇게 당연하다는 듯이 말하다니. 어째서?

아무도 사라지지 않잖아?

왜 이게 마지막인데?

"설마 아코, 너 퇴학당해?"

"안 해요! ……어, 안 하겠죠?"

"안 해 안 해."

그럴 위험이 있었다면 통지표 같은 걸로 소란을 부리지 않는다.

"그럼 마스터가 졸업……."

"나는 아직 2학년이다만."

"그렇지."

마스터는 내년에 3학년이 된다.

아무래도 바빠지긴 하겠지만, 그렇다고 이게 마지막인 것도 아니다.

"그럼 설마 세테 씨와 헤어지게……!"

"왜 약간 기쁜 듯이 말하는데, 아코?!"

"어라, 그런 표정이었나요?"

"조금 기뻐 보였는데."

"그럴 생각은 없었는데요."
뺨을 꾹꾹 문지르는 아코는 내버려두고.
"그럼 어째서 마지막인데?"
우리의 물음에 아키야마는 오히려 의아한 듯이 고개를 갸웃했다.
"그야 내년이 되면 신입부원이 들어오잖아? 그 사람도 같이 있게 되면 이 멤버로는 마지막 아냐?"
"신입부원……?"
그 말을 듣고 우리는 서로 얼굴을 마주 봤다.
"어, 부원이 들어와?"
"신입부원 같은 건 필요 없잖아. 와도 곤란해."
"슈가 온라인 게임을 한다는 걸 들키니까요."
"후배 쪽부터 먼저 들킨다니 지옥이야!"
"게다가 저도 새로운 사람은 조금……."
"아코 군이 가장 거북한 장르이니 말이지."
새로운 친구=문제라는 인식이니까, 아코는.
"나도 새로운 멤버는 미묘하네…… 앨리 캣츠는 그런 길드가 아니니까."
"1년 넘게 넷이서 해온 초(超) 가족 같은 길드니까요."
들어오고 싶다는 사람은 있었지만.
아코가 이야기를 하더라도 지치지 않고, 슈의 롤 플레이에 식겁하지 않고, 마스터의 과금에 의지하지 않는, 그런 사람 말고는 들어오지 못하도록 했기 때문에 한 명도 늘지 않았다.

"역시 앞으로도 이 멤버로 지내는 게 좋지 않아?"

"그렇죠."

"그러네."

"음."

이렇게 해서 멤버들의 동의를 얻긴 했지만.

"그런 기분 문제가 아니야."

아키야마는 곤란한 표정으로 양손을 가슴 앞에 쥐었다.

"몰랐어? 그 어떤 부활동도 매년 반드시 신입부원을 들이지 않으면 안 되는데?"

그래서 늘리지 않으면 안 된다고 말씀하고 계셨다.

"……어, 그런 규칙이 있었어?"

"…………글쎄요?"

옆에서 아코가 어리둥절하고 있는 걸 보면 모르는 모양이다.

"신설부와는 상관없는 것이라 신경 쓰지 않고 있었다만, 확실히 그런 교칙이 있었다."

마스터가 입을 열자 세가와도 말을 이었다.

"전에 들어갔던 수예부 사람이 말했던 것 같아. 한 명도 입부하지 않으면 곤란해~ 라고."

"흐음. 그렇구나."

귀찮은 교칙이네.

딱히 상관없잖아. 친한 사람들끼리의 부활동이라도.

"왜 그런 규칙이 있는 걸까요?"

"모르는 바는 아니지. 3학년이 아무도 없는 해가 있으면 귀찮을 게 뻔하니까."

"부장 정하는 데 충돌할 것 같네."

"부원이 줄어버리면 신입부원도 모으기 어려울 것 같고요."

작은 커뮤니티에는 들어가고 싶지 않으니까.

신입생 쪽에서 경원시하고 만다.

"그보다 친구끼리 만든 이상한 동호회가 부실을 점유하고 있으면 곤란하잖아?"

"그거 우리 얘기잖아!"

"부메랑이었네."

우리 부 같은 쪽을 대상으로 한 교칙이었던 건가…….

"그렇다면 우리 온라인 게임부도 부활동이니까 부원을 들여야 한다는 거야?"

"그런 거 아닐까?"

"……무리잖아."

"그렇죠."

"솔직히 싫어."

"싫다고 해도 어쩔 수 없어! 규칙이니까!"

그렇게 선생님 같은 소리를 해도…….

"으음. 곤란하군. 아무리 나라도 교칙을 거스르기는 어렵다."

"거스르지 않는다면, 부원 들일 거야? 어? 진짜로 들일 거야?"

"모집 자체는 가능할 것 같은데. 남자 게이머라면 대충 들어오지 않을까?"

"뭐? 무슨 소리야? 밥맛 떨어지는 남자부원을 넣다니, 그건 싫어."

"세가와 넌 나를 대체 뭐라고 생각하는 거야."

나도 어엿한 밥맛 떨어지는 남자인데.

"부비로 소셜게임 뽑기를 할 수 있다고 어필하면 남녀 불문하고 올 것 같다만."

"굉장히 많은 사람이 올 것 같네……."

돈 목적으로 와도 곤란하다고.

"……하지만 남자는 싫어요."

아코는 한숨을 내쉬며 힘없이 말했다.

"으~음. 나는 남자부원이 있으면 여러모로 편할 것 같은데."

"아코한테 추파를 던질지도."

"억지를 부려서라도 내쫓겠어!"

그런 일이 벌어진다면 필요 없어!

하지만 확실히, 아코 말고 다른 여자아이들도 다들 귀여우니까.

섣불리 남자부원을 넣었다간 성가신 일이 벌어질 것 같다.

"하지만 모집을 안 할 수는 없겠군."

"그럼 적어도 겉으로는 온라인 게임 안 할 것 같은 깔끔한 인상의 1학년 여자애로 하지 않을래? 내 후배라고 소개해도 괜찮을 것 같은 아이."

"그런 레어캐가 여기저기 굴러다닐 리가 없잖아."

"그럼 발상의 역전이야. 조건에 맞는 아이를 찾아내서 여기서 온라인 게임의 늪으로 빠트리자고."

"세뇌하려고 하지 마!"

어제까지 반짝반짝 빛나는 여고생이었던 아이가 다음날부터 온라인 게임 오타쿠가 된다면 무섭잖아! 무슨 세뇌부실이냐고!

"그럼 니시무라의 여동생은 안 돼?"

"그러고 보니 있었네."

아키야마와 세가와가 기대감 어린 눈을 내게 돌렸다.

"어, 미즈키? 아니아니, 그건 아니지."

"온라인 게임 하고 있고, 기분 나쁘지도 않고, 완벽하잖아."

"남매끼리 같은 부활동이라니, 좀 아니잖아. 너무 사이좋은 남매 같잖아, 기분 나쁘게시리."

"너희는 꽤 사이좋은 남매라고 생각하는데."

"실례구만. 평범해."

일반적인 테두리를 벗어난 적은 한 번도 없어.

이 세상에 자주 있는 「오빠랑 결혼할래~」 같은 소리를 듣는 이벤트조차도 일어난 적이 없다고.

"저도 반대에요! 학교에서 유일하게 아늑한 공간에 시누이가 있다니, 이미 지옥이잖아요!"

"시누이라니…… 아아, 아코 쪽에서 보면 그러네……."

"부실에서 올케와 시누이 전쟁이 벌어지면 곤란하지~."

"그럼 평범하게 남녀 상관없이 모집할 수밖에 없는 것 아닌가."

"그래도 모르는 사람을 들이는 건……."

"애초에 부원을 모집하는 것 자체에 난이도가……."

이거 곤란한데. 2학년을 목전에 두고 난제가 생기고 말았다.

모처럼 즐거운 봄방학인데—.

"그런고로!"

아키야마가 손을 탁 치며 말했다.

"그런 곤란한 일은 제쳐놓고! 우리끼리 마지막 이벤트를 하자! 평생 잊을 수 없는 멋진 추억을 만드는 거야!"

반짝반짝 빛나는 미소였다.

그래, 해보자 같은 기분을 들게 해주는 미소.

이게 바로 카리스마라는 건가.

"하지만…… 마지막이라…… 그렇게 말하니까 조금 그런 기분이 들긴 하네……."

"그러네요. 마지막 추억…… 루시안과의 마지막 추억…… 유품……."

조금 의미가 변하지 않았어? 괜찮아?

아코의 머릿속에서 나는 대체 어떻게 된 거야?

"마지막이라…… 그래. 뭔가 해볼까?"

"다들 이해해줬구나!"

이러니저러니 해도 의견이 통하자 아키야마가 뿅뿅 뛰었다. 어머, 싫다. 이 사람 귀엽네.

"뭔가 하자고 간단히 말하는데, 어쩔 거야?"

"그게, 합숙 같은 건 어떨까? 모두 함께 묵고, 모두 함께 놀고, 모두 함께 추억을 만드는 거야!"

"아아, 과연."

합숙, 합숙이라~. 하지만 합숙은 한 번 했었는데 말이지.

"으음, 여름에 했으니까 다른 게 낫지 않을까?"

"그 합숙, 난 간 적 없는걸!"

"……어, 나나코. 없었던가?"

"간 적 없어~!"

그, 그러고 보니 그랬지요.

정신이 들고 보면 자연스럽게 끼어있기는 하지만, 그때 아키야마는 부르지 않았었다.

"합숙이라고 해도, 어디로 갈 생각이냐?"

마스터가 묻자 아키야마는 당연한 듯이 말했다.

"쿄우 선배의 별장이 있지 않아? 온천과 스노보드를 즐길 수 있는 호화로운 설산 오두막 같은 곳!"

대놓고 떠넘겨버렸어!

"그런 곳이 있을 리가 없잖아!"

"아니, 있다만."

"있다고?!"

그런 딱 맞는 곳이 있단 말이야?!

"바다와 산은 별장으로는 메이저한 곳 아니냐. 도쿄의 중심지에 있다고 한 게 아니다. 그렇게 놀라도 곤란한데."

"그, 그런…… 건가……?"

놀라워하는 것에 놀라도 곤란한데.

일단 보통은 별장을 소유하지도 않는다고.

"하지만 이렇게 갑작스러워서야…… 여름 합숙은 아코 군의 기운을 북돋아주기 위해 사전에 예정을 세워놓았었지만, 지금은 아무 생각도 안 했다만."

"아무 것도 안 해도 돼! 마지막으로 모두 함께 뭔가를 한다는 게 중요한 거야!"

뭔가라니, 꽤나 애매한 말이었다.

하지만 마음만은 알 수 있다. 이게 마지막이라면, 확실히 그저 집에서 온라인 게임만 하는 봄방학은…… 조금 싫을지도 모른다.

"으음, 나는 조금 내키는데."

"저도 레벨 올리기 할당량보다는 놀러 가는 편이 좋아요!"

"나도 반대는 아니지만…… 어쩔 거야? 마스터."

"문제는 없다고 생각한다만…… 갑작스러운 일이다보니 확실한 약속은 못 하겠군."

자기 한 명의 문제가 아니니까 역시 마스터도 자신이 없어 보였다.

"쿄우 선배 말고는 부탁할 수 없어, 부탁해!"

"음. 나에게 맡겨둬라!"

틀렸어, 이 사람 너무 쉽게 넘어가잖아!

"그럼 봄방학에는 모두 함께 설산 별장에서 합숙이다! 스노보드 타자, 스노보드!"

스노보드라니, 이것의 플래그였어?!

아키야마가 주먹을 쥐고 흔들던 그때.

"다들 아직도 하고 있니? 오늘은 종업식이니까 부활동은 미팅뿐인데?"

멋들어진 타이밍에 선생님이 들어왔다.

"선생님, 봄방학에는 합숙을 할 거예요."

"에에에엑?! 그런 거 처음 들었는데?"

"저희도 방금 들었으니까 포기해주세요."

"냐아아아아아아앗!"

결국 이렇게 되었다.

††† ††† †††

"합숙 기대되네요!"

"그러네~."

돌아가는 길.

싱글벙글 기분이 좋아 보이는 아코가 먼 곳을 빤히 바라보면서 입을 열었다.

"저번 합숙도 즐거웠으니까요…… 우후후후후, 아름다운 밤하늘! 밤바다! 기분 좋은 바닷바람을 맞으면서 사랑한다고 속삭여준 루시안!"

그걸 핀 포인트로 기억하고 있는 거냐.

"그리고 우리가 이혼했었지."

"루시안이 사라졌으니까 그렇죠! 그건 이혼으로 치지 않아요!"

"그런 것 치고는 결혼식을 또 했었긴 하지만."

"그것도 즐거웠죠. 또 할까요?"

결혼식을 정기 이벤트처럼 취급하지 말라고.

"다음이 마지막이라는 게 아쉽긴 하네."

"그러네요. 다른 사람이, 들어오니까요……."

아코는 우우우~ 하고 신음하며 떨떠름한 표정을 지었다.

"길원을 모집하지 않으면 안 되니까요……."

"길원…… 하긴, 의미로 따지면 그런가……."

입부하면 길드에도 들어올 테니 길원 모집과 비슷하긴 할지도.

"길드 앨리 캣츠, 길원 모집 중. 멤버는 총 여섯 명으로 적긴 하지만 매일 활동 중인 사이좋은 길드입니다. 고레벨부터 초보자까지 있으므로 누구라도 편히 찾아오세요!"

일단 길원 모집 문구를 생각해봤다.

"……그런 모집으로 과연 모일까요?"

"내가 생각해도 안 올 것 같아."

소수파 길드가 사람을 모으는 법은 누구라도 상관없이 모집하는 게 아니라 마음이 맞은 사람을 핀 포인트로 끌어들이는 거니까 말이지.

하지만 부원 모집에서 그런 방식으로 하기는 어렵다. 1학년하고 친해질 기회 같은 건 없으니까.

"가령 성공했다고 해도 모르는 사람이 부실에 오는 시점에서 이미 무리니까요."

"아키야마가 처음 왔던 날도 꽤 움츠러들었으니까."

신입부원이 들어오는 대신 아코가 빠진다면 전혀 의미가 없잖아.

"뭐, 그건 2학년이 된 저보고 힘내라고 하죠! 2학년이 된!"

"진급이라…… 거기부터 이미 기적적이긴 하네……."

"아코 무지 노력했어요!"

"노력했지, 노력했어."

하지만 장래를 생각해서 2학년이 되면 지금보다 두 배는 좋은 성적을 내줬으면 한다.

"봄부터는 조금 더 공부에 힘내자."

"저는 이게 한계에요오."

"나는 아코의 가능성을 믿고 있어."

"루시안의 신뢰가 무거워요!"

아코는 흐에에~ 하고 울면서 머리를 감싸 쥐었다.

곤란해 하는 아코를 보면 머리를 쓰다듬어주고 싶어지지만, 양손이 짐으로 가득 차서 움직일 수 없었다.

학년이 올라가면 교실도 바뀌기 때문에 소지품을 전부 갖고 돌아가야 한다. 이것저것 놔두고 있던 탓에 짐이 꽤 많단 말이지.

바로 그때 깨달았다.

어라? 아코는 평범하게 머리를 감싸 쥐고 있는데, 왜 양손이 비어있지?

"아코. 짐은?"

"네? 무거워서 부실에 놔두고 왔는데요."

"우왓, 똑똑하다!"

"그렇죠?"

아코는 자신만만하게 웃으며 커다란 가슴을 폈다.

"짐이 많으면 힘드니까 교과서도 전부 놔두고 왔어요!"

하긴, 어차피 또 학교에 가져가야 하니까 처음부터 놔두고 오면 된다.

교실은 바뀌지만 부실은 바뀌지 않으니까.

하지만, 문득 떠오른 건데 말이지.

"……봄방학. 숙제 없었던가?"

"……."

아코는 텅 빈 양손을 보더니 싱긋 웃었다.

"숙제는 노력의 목표니까요!"

"아니아니, 최저 조건이거든?! 가뜩이나 작년에도 간당간당했잖아!"

"우우우, 다음에 가지러 갈게요."

"지금부터 가면 될 텐데."

"버리지 말고 그냥 두라고 공지를 할 테니까 그걸로 넘어가 주세요."

"그렇게 안 해도 아무도 안 버려."

게다가 그거, 정말로 쓸지 미묘하니까.

"그치만 루시안. 끝났다, 집에 간다! 라고 생각했는데 다시 돌아가면 괴롭지 않나요?"

"그 마음 모르는 바는 아니지만, 조금 더 학교를 좋아해도 될 것 같은데."

부실 말고는 아직도 진정이 되지 않는 공간인가.

"친구 늘지 않았어?"

"네. 전혀요."

"단호하네……."

"교실에서는 항상 잠을 자거나 휴대폰을 보고 있고, 가끔 말이 걸려오면 사교성 미소를 짓는 아이로서 제대로 녹아들었어요."

"그거 전혀 녹아들지 않았거든."

그냥 외톨이였다.

그래도 네가 좋다면 상관없지만.

"그치만 모처럼 포지션이 굳어졌는데 반이 바뀌어서 리셋이 되어버리네요."

"그러고 보니 반 배정도 있겠네."

마에가사키 고등학교는 매년 반이 바뀐다.

이번에는 반이 어떻게 나뉘게 될까.

"같은 반이 되면 좋겠네요."

아코는 진심으로 나와 같은 반이 되고 싶다고 생각하는지 팔을 꼬옥 안으며 말했다.

"그러네…… 그래…… 그럴까…… 그래도 되나……."

"왜 점점 불안해지는 건가요?! 저랑 같이 있으면 싫은 건가요?!"

"아코랑 같이 있는 게 싫은 건 아니지만, 아코하고만 같이 있는 것도 싫다고나 할까……."

같은 반이 되는 건 즐거우니까 괜찮아.

하지만 아코가 줄곧 나한테 딱 달라붙을 것 같아서 그게 무섭다. 아코가 무서운 게 아니라, 그 모습을 바라보는 주변의 시선이 무섭다.

“짝지어서 뭔가를 하는 수업은 전부 아코랑 하게 될 것 같고.”

“같이 하자고요. 영어회화 수업에서도 계속 얘기할 수 있잖아요?”

“TY나 NP같은 것밖에 말하지 못할 것 같은데.”

“AFK나 GJ 같은 것도 아는데요.”

GG나 WP같은 것도 말할 것 같다.

그보다 온라인 게임 용어뿐이었다.

“아코랑 짝이 될 수 있다는 의미에서 세가와랑 아키야마하고도 같은 반이 되면 좋겠어.”

“그러네요. 모두 함께라면…… 함께라면, 좋을, 지도요…… 좋은 걸까요……?”

“왜 후반부터 불안해지는데.”

“그치만 그게, 슈랑 세테 씨하고 같은 반이 되면, 그 사람들은 그…… 높은 카스트에 있게 되잖아요.”

“딱히 위에 설 생각은 없어 보이던데.”

특히 아키야마는 본인은 평범하게 지내고 있는데 주변이 아래로 이동하는 타입인 사람이고.

“그쪽 사람하고 어중간하게 친하게 지내면 반대로 질시의 대상이 되기도 해서…….”

“여자 쪽 카스트는 무섭네!”

계급사회에서 월반은 허용되지 않는 모양이다.

“그럼 평범하게 모두 친구가 되면 되잖아. 하이 카스트 아코로 가자.”

“무리에요무리에요무리에요무리에요.”

아코는 고개를 붕붕 내저었다.

“친구 모집 문구에 『리얼충 경험자만 모집』이라고 똑똑히 적혀 있잖아요. 그런 건 확실히 보고 나서 신청해 주세요!”

“아코, 네 눈에는 대체 이 세상이 어떻게 비치는 걸까.”

근본적인 불안감이 들었다.

“뭐, 그런 걱정은 반 배정이 발표되고 나서 하자고.”

“루시안하고 같은 반이라니 기대돼요.”

“확정된 사항처럼 말하네.”

아직 모르는데.

나도 기대는 하고 있지만, 달라지면 아쉬우니까 자주 생각하지 않도록 하고 있다고.

“이왕이면 선생님한테 부탁해볼까?”

안 되겠지, 라고 생각하면서 말해봤다.

“고양이공주 선생님한테 압력은 걸고 있어요.”

“벌써 실행하고 있어?!”

그런 걸 들어줄 리가 없잖아!

“괜찮으니까 걱정하지 말라냐, 라고 하셨어요.”

“우와아아아! 그 사람, 이야기가 잘 통하잖아!”

“봄부터는 부부끼리 사이좋게 지내요.”

"아직 부부 아니거든!"

달라붙는 아코를 떼어놓고 한숨을 내쉬었다.

어쩌면 이 봄방학이 숨을 돌릴 마지막 기회가 될지도 모른다고 생각하면서.

2장 어쌔신 괴로우디

And you thought there is Never a girl online?

"루시안, 눈이! 눈이 쌓였어요!"

창문에서 고개를 내민 아코가 눈을 반짝이며 말했다.

이른 아침에 마에가사키 역을 출발해서 대략 세 시간.

고속도로에서 빠져나와 구불구불한 산길을 돌아서 커다란 건물이 늘어선 별장지로 나온 무렵이었다.

이번 예정은 2박 3일.

이 별장들 중 한 곳에서 이틀이나 묵는다고 생각하니 꽤나 어울리지 않는다는 기분이 들었다.

"3월도 끝나 가는데 의외로 눈이 남아있네."

눕힌 좌석을 들어 올리지도 않은 세가와가 멍하니 대답했다.

"리조트 같아~."

아키야마는 휴대폰 카메라를 창문 바깥으로 돌렸다.

저 사진은 여자 그룹 대화에 올라가서 봄방학에 친구와 여행을 만끽하는 리얼충 어필을 하게 되겠지. 본인은 무의식적으로 하는 거겠지만.

"도로에 눈이 많이 남아 있으면 운전하기 무서운데……."

"괜찮습니다. 사이토 교사. 여차할 때는 대신 하겠습니다."

"고쇼인 너는 면허 갖고 있지 않잖니?!"

"농담입니다. 농담."

"농담으로 들리지가 않는다냐."

앞자리에서는 긴장하며 핸들을 잡고 있는 선생님이 마스터의 놀림감이 되어 냐야냐아 울고 있었다.

"다들, 스노보드 기대되네!"

아키야마가 싱글벙글 웃으며 말했다.

그런 그녀에게 옆에 있던 세가와가 슬쩍 어깨를 으쓱하며 말했다.

"난 스노보드 타본 적이 없으니까 조금 무서운데."

"엑."

아키야마가 어리둥절하며 눈을 동그랗게 떴다.

"저도 타본 적 없어요!"

"에에엑?! 그치만 니시무라가 다들 잘 탄다고 했었는데?!"

"……."

이런, 드디어 이 화제가 나왔나.

나는 말없이 시선을 돌렸다.

며칠 전에 저질러버린 결과가 역시 되돌아온 것 같다.

"루시안, 스노보드 탈 줄 아세요?"

아코가 내 어깨를 흔들어댔다.

"아니…… 나도 완전 미경험인데……."

설산 경험 제로입니다. 죄송합니다.

"뭐어, 그럼 왜 탈 수 있다고 한 거야?"

아, 아니에요. 그건 아니라고요.

"그때는 그저 LA의 미니게임 이야기라고 생각해서…… 그래서 다들 스노보드 잘 탄다고 했을 뿐이라……."

설마 현실 이야기였을 줄이야. 아니, 조금은 생각하기도 했지만.

"……현실과 온라인 게임을 혼동하다니, 니시무라도 상당히 중증이다냐."

"게임 뇌가 아니에요! 조금 멍하니 있었을 뿐이라고요!"

아키야마한테서 갑자기 전화가 걸려오는 바람에 여러모로 예상 밖이었다고!

"으음, 나도 타본 적 없는데? 어떡하지?"

확실히 전원 미경험이면 아무도 가르쳐줄 수가 없으니 곤란할지도…….

"내게 맡겨둬라. 어린 시절부터 윈터 스포츠는 익숙하다. 전원에게 스노보드의 기본을 알려주도록 하마."

할 수 있구나. 이 사람 진짜 만능이라니까.

"마스터한테 배우는 건가."

"불길한 예감이 드네요!"

"비싼 도구를 전제로 해서 생각할 것 같아."

"길드 마스터에 대한 신뢰도가 부족하지 않나?"

스포츠가 과금으로 어떻게 되긴 할까? 불안하다.

"그러고 보니 고양이공주 선생님은 스노보드 탈 수 있어?"

"나름대로는 타지."

타본 적이 있는 건가…… 이 사람도 꽤 대단하네.

"대학 시절에는 심야 패스로 스키장에 가서 다음 날에 돌아오기도 했었거든."

선생님은 문득 옛날이 그립다는 듯이 말했다.

"흐~응."

"호오."

"조금 더 선생님의 과거에 흥미를 가져줬으면 좋겠다냐!"

선생님, 외치지 말고 앞을 봐요, 앞을!

한동안 달리던 차는 어느 한 별장 앞에서 멈췄다.

지금껏 봐왔던 별장 가운데서도 더욱 커다란, 명백하게 한 그룹이 다 쓰지 못할 것 같은 건물이었다.

"어, 여기? 여기서 묵어?"

"별장이라기보다는 작은 호텔 같네."

"굉장해~!"

굉장하다는 걸 넘어서 오히려 조금 무섭다.

멋지긴 하지만, 왠지 위압감이 있는 모습이었다.

평범하게 묵는다면 숙박비가 비싸 보이네.

"이런 커다란 별장에 정말 묵어도 괜찮나."

"우리 집에서도 가장 커다란 별장이다. 몇 군데나 있는 건 아니야."

산더미처럼 많으면 곤란하거든요?

"아무튼 이곳은 큰할아버님께서 좋아하시는 곳이라서 말이다. 겔렌데[#2]에서 5분 걸리는 입지조건에다 온천을 끌어들인 대목욕탕도 있지. 유희실에는 당구, 다트에 노래방도 완비! 물론 컴퓨터실도 준비되어 있다!"

"왜 이렇게 가장 좋은 곳을 마련한 거냐고."

좀 더 조촐한 곳이라도 괜찮았는데?

"이런 곳을 써도 정말 괜찮은 거니?"

선생님이 불안한 듯이 물었다.

"문제없습니다. 인솔자가 사이토 교사라고 말씀드렸더니 큰할아버님께서 흔쾌히 빌려주셨습니다. 아무래도 선생님이 꽤나 마음에 드신 모양이더군요."

"이사장님 무섭다냐아아아아."

"정신 차리세요, 선생님!"

설마 하던 감찰 대상 취급에 선생님이 울음을 터트렸어!

"크니까 도둑이 노릴 것 같아."

"그렇지. 요즘은 별장지에 빈집털이가 많다고 들었다. 다들 조심하도록."

"뭘 어떻게 조심하라는 거야."

뒤숭숭하네.

부자밖에 없으니까 노리기 쉽기는 하겠지만.

#2 겔렌데 스키를 탈 수 있도록 정비해 놓은 곳. 스키 연습장.

"그리고 주의사항이다만, 후미진 곳에 있으니 휴대폰 전파 상태가 나쁘다. 제대로 통화가 가능한 곳은 현관 정도다."

"이런데 어떻게 도둑을 조심하라는 거야."

"그냥 이쪽에 안테나를 세우면 되잖아."

"곤란하게도, 큰할아버님께서 일부러 연락을 취하고 싶지 않을 때 이곳을 이용하시는 면도 있어서 말이다……."

"아아, 그런 느낌이구나."

높은 사람에게도 이런저런 일이 있는 모양이다.

빌려서 쓰는 처지이니 아무 불만도 없긴 하지만.

"우와, 엄청 크네요~!"

내 옆에 있던 아코가 별장을 올려다보며 말했다.

"발밑에 눈이 있으니까 조심해~."

"네~에…… 하읏!"

말하고 나서 채 세 걸음 걷기도 전에 넘어진 아코가 눈더미에 처박혔다!

"우와앗, 괜찮냐 아코!"

"차가워요!"

"아아, 정말. 눈투성이잖아!"

아코가 비틀비틀 눈에서 탈출했다.

하얀 스웨터에 눈이 달라붙어서 꼴이 말이 아니다.

"털어주세요~."

"어쩔 수 없네."

눈으로 범벅이 된 아코의 머리에서 살짝 눈을 털어내고 어깨에 쌓인 눈도 치웠다.

등을 탁탁 두드려서 팔에 있던 눈을 털어내고…… 그리고…… 어어, 저기…….

가슴 위에도 눈이 쌓여 있는데, 그것도 내가 털어줘야 하나?

"거기 있는 눈도 나보고 하라고?"

"네?"

웃으면서 어벙하게 있지 말라고.

내가 털어주는 게 기분 좋았는지 아코는 헤실헤실 나를 보고 있었다.

"알았어, 정말. 하면 되잖아, 하면."

대충 가볍게 손으로 털어내기만 하면 되니까— 우와, 뭐야 이거. 엄청 부드럽잖아.

몽실몽실했어. 몽실몽실.

눈을 털어내려고 약간 힘을 줘서 건드렸는데 손이 튕겨나갔다고.

신기한 감동을 맛보면서 아코의 눈을 살살 털어주고 있는데—.

"자연스럽게 하고 있는데…… 니시무라. 아코의 어딜 만지는 거야?"

아키야마가 조심조심 물어왔다.

이렇게 됐으니 나도 정색하며 대답하자.

"부위를 따지자면 가슴입니다."

"……변태~, 경찰 아저씨~, 같은 소리를 해야 하나~."

"내버려두면 돼. 어차피 아코는—."

"전혀 필요 없어요!"

"—라고 하고 있으니까."

"으~음. 남자친구하고 같이 있는 아이는 요즘 보지를 못해서 왠지 익숙하지 않단 말이지."

남자친구라는 것까지는 아니지만.

그러니까 뭐라고 그러면 곤란하단 말이지.

"이상한 곳에서 순진하네. 나나코."

"자연스럽게 부부답게 지내네."

"부부가 아니거든요."

"아뇨, 부부에요."

이것만큼은 의견이 같지 않았다.

"그것보다 짐을 옮기자. 루시안, 도와다오."

"예이예이. 자, 아코도, 자기 건 자기가 옮겨."

이걸로 끝이라는 의미를 담아 아코의 등을 쓸어주고는 가볍게 밀었다.

"네~에."

자신을 돌봐준 것이 기뻤는지 아코는 기분 좋게 한 걸음을 내딛고는—.

"헤극!"

또 넘어졌다!

"루시안~."

"알아서 일어나."

"에에에엑."

이제 몰라.

안으로 들어가자, 별장은 현관에 들어온 시점부터 이미 넓었다. 비싸 보여. 무섭잖아.

커다란 탁상시계가 있는 현관을 두리번두리번 돌아보자 마스터가 옆문을 가리켰다.

"현관 옆이 건조실이다. 젖은 보드나 슈즈는 여기에 놓아두면 금방 마르지."

현관에 부설된 유리문 너머에는 이미 렌탈 스노보드와 스노슈즈, 웨어가 놓여 있었다.

변함없이 준비가 투철하네…… 그렇구나. 스노보드 타는구나…….

"한동안 여기서 말리고 있어도 되나요?"

"빨리 하고 나와."

물론 눈으로 범벅이 된 아코였다.

그대로 짐을 거실로 옮겼지만, 여기에 전부 놔둘 수는 없었다.

"방은 어쩔 거야? 어디를 써야 하는데?"

"객실은 여섯 개가 있다. 한 명이 방 하나를 쓸 수 있다만."
"에이, 모처럼 합숙인데 개인실이라니 재미없지 않아?"
발안자인 아키야마에게서 이의가 나왔다.
그야 확실히 모두 제각각 들어가면 쓸쓸할지도 모르지만.
"그럼 우리 다 같이 거실에서 자면 되지 않아?"
"에에엑?! 니시무라가 있잖아!"
삿대질을 당했다. 응, 물론 나도 동감이다.
"그야 전원은 곤란하겠지."
"그래?"
그러나 세가와는 고개를 갸웃했다.
"이제 와서 네가 옆에서 자더라도 전혀 신경 쓰이지 않는데."
"그렇죠."
"딱히 상관은 없지."
세 사람이 모두 무서운 소리를 꺼냈어!
"신경 쓰자! 부끄럽지 않아?!"
"코고는 소리를 듣기라도 하면 조금 싫긴 하네."
"하지만 루시안이 듣는다고 해도, 그렇다고 딱히 이렇다 할 느낌은 없는데요."
"그렇긴 하네."
"납득하는 거야?!"
납득해버렸어. 그래도 되는 거냐, 여자아이.
"그러고 보니 루시안, 저는 쿨쿨 시끄럽나요?"

문득 아코가 막 떠올랐다는 듯이 물었다.

딱히 신경 쓴 적은 없었는데.

“아니, 조용히 잤는데. 잠버릇도 괜찮고.”

가끔 쿠울 하고 작게 들리는 정도다.

나머지는 때때로 잠꼬대를 하며 나를 부르는 수준이고.

“……어떻게 알고 있는데?”

“엑.”

아, 큰일이다. 오해를 부르는 발언이었을지도.

아니에요. 그런 게 아니라고요.

“아니 그게, 놀러 가면 내 옆에서도 태연히 자는 녀석이라서.”

“늦게까지 깨어 있으니까 낮에는 졸리거든요~.”

“우우우, 왠지 내 상식이 이상한 것 같은 기분이 들어.”

“네가 평범한 거라고 생각해!”

이 녀석들이 이상한 거라니까!

리얼충인 것 치고 제대로 된 경계심을 가진 사람이 아키야마뿐이라는 것도 이상하다고!

“우리는 이미 오래 알고 지내 와서 그런지 딱히 신경이 쓰이지 않는단 말이야.”

“최근 2, 3년 동안에는 가족보다 길원과 함께 있는 시간이 더 길었을지도 모르겠군.”

“현실 지인보다 오래 이야기해 왔으니까요.”

우리도 이미 현실 지인이라고 생각하는데.

"그리고 저번에는 게임하다 곯아떨어져서 전원 같은 방에서 잤으니까."

"부, 불건전해! 니시무라!"

"그건 본의 아니게 그런 거라고!"

"이번에는 안 돼! 다들 제대로 방에서 자는 거야!"

울컥 화를 낸 아키야마가 허리에 손을 얹고는 마치 엄마 같은 소리를 했다.

"그치만그치만, 근사한 추억을 만들려면 밤에도 즐거운 편이 좋잖아요! 루시안만 혼자서 자다니 불쌍해요!"

"잠기운이 한계까지 올 정도로 놀았으면 그냥 자면 되잖아!"

"결국은 곯아떨어지는 패턴이네."

"아~카~네~!"

"히야아아아아악, 거짓말거짓말거짓말, 농담이야!"

아키야마가 덜컹덜컹 세가와의 머리를 흔들어댔다.

오우, 트윈테일이 회전하고, 세가와의 눈이 돌아가고 있네.

"잘 곳은 넘어가더라도, 스노보드를 타려면 옷 갈아입을 방이 필요하겠군."

"그, 그러네. 농담은 넘어가더라도 짐을 놔둘 방 정도는 갖고 싶어."

이러니저러니 해도 방은 필요하다는 결론이 내려졌다.

"그럼 방을 나누죠."

아코가 자신만만하게 손을 번쩍 들었다.

"어쩔 거야?"

"슈랑 세테 씨, 고양이공주 씨랑 마스터, 그리고 루시안이랑 저. 이렇게 방을 나누면 어떨까요!"

"기각이야!"

즉시 기각했다.

"어째서인가요!"

"어째서고 자시고, 말도 안 되잖아."

"가장 무난한 방 배정으로 한 건데요! 기각이라니 불합리해요!"

"무난…… 응, 아니, 어떠려나…… 확실히 이게 무난하다는 생각은 드네……."

"나도 딱히 상관없을 것 같은 기분이 들고 있다."

"정신 차려 아카네, 쿄우 선배! 이건 윤리적으로 잘못된 방 배정이라고!"

"나도 건전한 고등학생으로서 문제없는 방 배정을 요구하겠어!"

이상한 녀석이 세 명이나 되고, 제대로 된 사람이 둘밖에 없다니 어떻게 된 거야!

"왜 다투고 있니?"

그때 차를 차고에 세워두러 간 선생님이 돌아왔다.

도와줘요, 고양이공주 씨!

"유이 선생님! 아코가 니시무라랑 같은 방이 좋대요!"

"어떻게든 해주세요!"

우리의 필사적인 호소에, 선생님은—.

"타마키, 안 된단다."

싱긋 웃으며 말했다.

"에에엑, 그치만."

"안 된단다."

선생님은 대답을 되풀이하면서 살짝 양 다리를 벌렸다.

"……안 되나요?"

"안 된단다."

선생님은 슬쩍 한 팔을 옆으로 벌리고는 몸을 기울이면서 말했다.

지금 당장이라도 래리어트가 날아올 것 같았다.

"네, 네에에, 알겠습니다……."

선생님의 온몸에 힘이 담기는 것을 본 아코가 마지못해 수긍했다.

우리 힐러는 방어력이 낮으니까 물리공격에 약하단 말이지.

"잠깐 둘러보고 왔는데, 가족끼리 묵을 수 있는 큰 방이 무척 많았어. 여자끼리 한 방, 니시무라가 한 방, 내가 한 방으로 하면 되지 않을까?"

"루시안이 혼자면 불쌍하잖아요."

"아니, 전혀 신경 쓸 필요 없어!"

진짜로, 정말로, 혼자인 게 편하다니까.

선생님은 아코와 눈을 맞추며 말했다.

“여자애들의 방과 니시무라의 방은 어느 정도 거리를 두고, 그 중간에 내 방을 둘 거야. 밤중에 놀러가거나 하지 않도록 하렴.”

“그거, 보통은 남자한테 하는 말 아닌가요.”

“가장 위험한 아이를 지도하고 있는 거란다.”

지당한 말씀이십니다.

“그럼 알기 쉽게 동쪽을 여자, 서쪽을 남자로 나눌까. 우리가 1호실, 루시안이 6호실이다.”

“선생님은 여자애들 방 쪽 계단 근처에 있는 방을 쓸게. 니시무라는 여자 쪽으로 오면 안 된다?”

“옙. 알겠습니다.”

아아, 평범하게 대하고 있어서 진정이 된다.

“그럼 정해졌으니 짐을 두고 나서 바로!”

“컴퓨터실이네!”

“그러네요!”

“하긴, 일단 로그인을 해야지!”

“이번에도 확실히 클라이언트는 설치해 놨다!”

“어째서 그렇게 되는데!”

“제대로 산을 만끽하자는 약속이었다냐!”

농담이라고요, 농담.

고쇼인 가 설산 별장 · 겨냥도

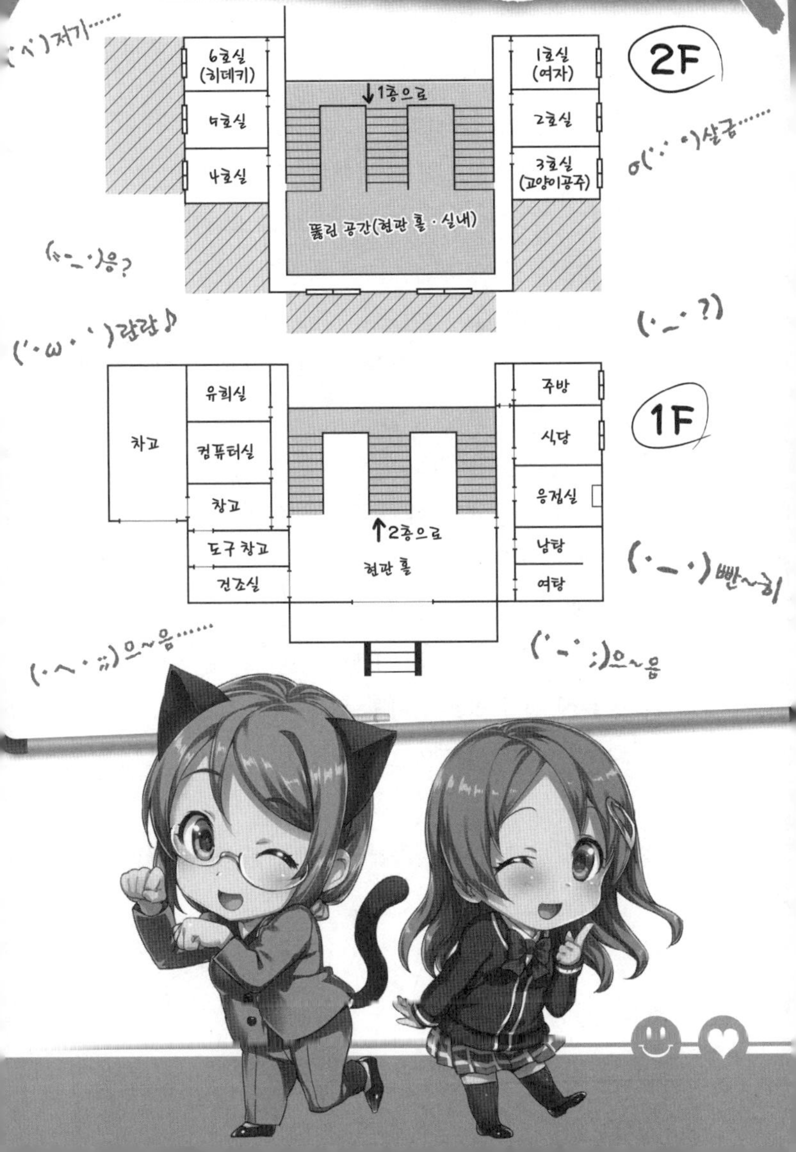

내가 쓸 6호실에 들어가 보니 엄청나게 넓었다.

침대가 4개나 놓여 있고, 테이블하고 소파도 있다. 1년 정도는 여기서 살 수 있겠는걸.

"혼자서는 너무 넓네."

"둘이서라도 넓을 정도네요~."

아코가 싱글벙글 웃으며 옆 침대에 짐을 놓았다.

"아무래도 진정이 되지 않지만, 자고 갈아입기만 하는 방이니까. 신경 쓰지 말자."

"그러네요. 빨리 갈아입어요."

아코는 스노보드 렌탈 웨어를 들고는 으음, 하고 고개를 갸웃했다.

"이렇게 보면 왠지 정말로 장비품 같은 느낌이 드네요."

"상반신에 하반신, 모자에 고글에 장갑이니까."

"세트 장비네요!"

"추가 효과 같은 게 있으려나?"

전신 세트로 내한 성능 30퍼센트 업이라거나.

"이거, 속에 뭔가 입는 편이 나을까요?"

"그렇겠지. 언더웨어가 있으니까."

"네~에."

그렇게 아코가 조금 젖은 스웨터에 막 손을 대려고 한 그때.

"아니 잠깐. 스톱, 스톱."

"네?"

아코는 어리둥절한 표정으로 나를 보고 있었다.

어리둥절하게 있지 마. 이상하잖아.

오히려 한동안 깨닫지 못했던 내가 조금 초조해질 정도라고.

"왜, 천연덕스럽게, 아코 네가 있는 거냐고!"

"있으면 안 되나요?"

"아까 안 된다고 했잖아."

못 들었다는 표정을 지어봤자 안 통하거든?

"니시무라, 니시무라!"

타이밍 좋게 문을 똑똑 두드리는 소리가 들렸다.

"아코가 없는데, 여기 오지 않았어?"

"오우, 세가와. 마침 딱 좋을 때 왔어."

"……으! …………으으!!"

아코가 내 옷자락을 쥐고 고개를 붕붕 내저었다.

"알고 있어. 알고 있다고."

나는 다정하게 고개를 끄덕이며 크게 숨을 들이쉬었다.

"아코라면 여기에 있어!"

"역시!"

철컥, 문이 열리고, 세가와가 어깨를 들썩이며 성큼성큼 들어왔다.

이야~ 수고 많으십니다.

"루, 루시안?! 어째서 배신한건가요!"

"영문 모를 소리 하지 말고 가자, 자, 짐 들어."

"루시안! 저, 반드시 돌아올게요!"
"빨리 갈아입고 오라고~."
나는 끌려가는 아코에게 손을 흔들었다.
하지만— 이 방은 안전하지 않겠어.
"여기서 자도 괜찮을까……."
안쪽에 자물쇠가 달려있지 않은 문을 보며 살짝 한숨을 내쉬었다.

††† ††† †††

별장에서 스키장까지는 걸어서 5분.
하지만 익숙하지 않은 신발과 커다란 보드를 들고 있어서 10분 이상 걸리고 말았다.
휴우, 이거 힘드네.
"어, 엄청 지쳤어요."
"아코, 아직 타지도 않았거든?"
"저쪽 오두막에서 코코아 마시고 있을 테니까 다들 즐겨 주세요."
"조금 더 힘내자."
이런 대화를 나누면서 우리는 겔렌데 근처에 모였다.
3월에 접어들어서 눈도 줄어들었을 것 같았는데 의외로 남아있구나.

일단 보기에는 실컷 탈 수 있을 것 같다. 우리가 탈 수 있는지는 넘어가더라도 말이지.

"그럼 연습을 해볼까? 내 화려한 공중 트릭을 보여주겠어."

인도어지만 스포츠를 싫어하는 것도 아닌 세가와는 바깥에 나오기만 하면 꽤나 의욕을 낸다. 뭐든 기운차게 하는 것 같아서 부럽다.

"자자, 기다려라. 모든 일에는 순서가 있다."

초보자들 앞에 선 마스터가 강사처럼 말했다.

"먼저 스케이팅을 익히도록 해라. 보드 위에 한쪽 발을 올리고 미끄러지듯이 이동하는 방법이지. 방법은, 먼저 한쪽 발에 확실히 체중을 싣고—."

이런 설명을 하는 와중에.

"아, 이런 느낌? 이렇게?"

"와, 미끄러져! 미끄러져!"

"루시안! 설 수가 없어요!"

"양다리를 다 보드에 올리지 않아도 돼, 한쪽 다리는 빼라고."

우리 일동은 다들 멋대로 놀기 시작했다.

이렇게 된다니까. 다들 튜토리얼 같은 건 스킵하는 타입이니까.

"제대로 들으라냐!"

"……음. 뭐, 타는 법만 가르쳐주도록 할까."

그로부터 약 한 시간 후.

"그럼 가자, 아코. 준비됐어?"

"살며시에요, 루시안. 살며시, 살며시 밀어주세요!"

"알고 있어, 알고 있어. 살며시, 살며시…… 살며시, 가라앗!"

"전혀 살며시가 아니잖아요오오오오, 후와앗!"

아코의 썰매를 슬쩍 밀자 힘차게 미끄러진 아코가 도중에 눈밭을 굴렀다.

"괜찮냐?"

"눈이 핑핑 돌아요~."

오오, 기운차네 기운차.

"우우우, 다음에는 루시안이에요, 제가 밀 테니까요!"

"오냐, 와라! 아래까지 내려가 주마!"

"아! 둘이서 같이 썰매를 타는 건 어떤가요?"

"둘이서 눈 범벅이 될 뿐이잖아……."

그런 우리 옆에는—.

"여기서…… 이렇게!"

"아니다냐. 허리만이 아니라 전신의 탄력으로 돌리는 거다냐."

"전신의 탄력…… 이야압!"

"그 감각이다냐! 나머지는 점프의 높이와 착지의 밸런스다냐!"

"높이…… 그럼 속도가 필요하겠네!"

"위험하지 않은 스피드로 하는 거다냐, 고양이공주 씨와의 약속이다냐."

공중 트릭 연습에 진지하게 임하는 세가와와 지도하는 선생님이 있었다.

왜 저런 지식이 있는 걸까. 고양이공주 씨.

"아, 위에서 마스터가 내려오고 있어요."

"진짜네. 깔끔하게 타는구나."

그리고 머나먼 산 위에서 마스터가 미끄러져 내려왔다.

"……후우. 어떠냐, 너희들. 즐기고 있나?"

"즐기고 있어요~."

"마스터, 몇 번째 타는 거야?"

"이게 세 번째다. 다음에는 다른 코스에서 내려오고 싶군."

"나도 익숙해지면 그쪽에 합류할게!"

"핫핫핫, 기대하지 않고 기다리마. 그럼!"

마스터는 가볍게 손을 흔들며 정상으로 향하는 리프트에 올랐다.

이야~ 다들 열심히 즐기고 있구나~.

"……잠깐, 다들 스토옵!"

그런 우리를 보던 아키야마가 스톱을 걸었다.

"왜 그래? 나나코."

"왜 그래가 아니야! 이상하잖아. 왜 다들 제각각 즐기고 있는 거야?!"

아키야마는 나와 아코를 가리켰다.

"니시무라랑 아코! 스노보드는?! 왜 썰매로 놀고 있는데?!"

"그게, 이게 의외로 즐거워서 말이지."

"썰매는 간단해서 좋아요."

"모두 함께 스노보드를 타자고 했잖아!"

그렇긴 하지만, 못하는 스포츠를 연습하는 것보다는 이쪽이 즐겁잖아.

"아카네도! 왜 타지도 못하면서 이상한 연습을 하는 거야?!"

"그야, 미리 해두지 않으면 틈 날 때 뛰지 못하잖아?"

"평범하게 스노보드 타자!"

"멈춘 상태에서 알리(Ollie)[#3]는 약간 할 수 있게 됐어!"

"알리가 뭔데?!"

아아, 아키야마가 울 것 같은 표정이야.

듣자 하니 알리라는 건 점프를 뜻한다고 하더라.

"하하하, 모두 즐기고 있으니 좋은 일 아니냐."

마스터가 명랑하게 말했다.

"가장 이상한 건 교우 선배잖아! 왜 경험자가 혼자 멋대로 타고 있는 건데?!"

"계속 붙어서 보고 있어봤자 별수 없지 않나. 나도 즐기고 싶다."

#3 알리(ollie) 보드를 탄 채 점프하는 것.

"같이 즐기자고! 응? 애들아!"

"그게, 딱히 억지로 초보자한테 붙어있을 필요는 없잖아."

"즐겁게 타는 마스터를 보는 편이 우리도 편하니까."

"신경 쓰실 필요 없어요~."

"어째서?!"

그렇게 놀랄 필요 있나? 언제나 이런 느낌인데.

나는 대체로 아코와 붙어 있고, 나머지는 자유. 질리면 합류해서 함께 논다.

평소와 같은 패턴이잖아.

"이상해, 엄청 이상해……."

"이 아이들은 기본적으로 이렇다냐. 신경 쓰지 않는 게 편하다냐."

"우우, 이럼 안 돼. 모두 함께 추억을 만들어야지!"

이미 포기한 상태인 선생님이 위로했지만 아키야마는 꺾이지 않았다.

"제대로 스노보드 연습 하자! 자자, 다들 위로 올라가!"

"에이~."

"에이라고 하지 말고!"

현실 이벤트가 되면 역시 이 사람에게는 이기지 못한다.

아키야마에게 떠밀린 우리는 스노보드 연습을 재개했다.

그리고, 이건 의외였는데—.

한동안 연습을 해보니 우리에게 잘 맞는 부류의 스포츠라는 것을 알게 되었다.

“루시안루시안! 타고 있어요! 타고 있다고요!”

“아…… 응, 타고 있네. 확실히…….”

“슬금슬금 천천히 움직이는 건 전혀 스노보드 같지 않다냐.”

“이것도 어엿한 스노보드에요!”

“그런가냐…….”

뽐내는 아코를 보며 선생님은 미묘한 표정을 지었다.

위험하지 않으니 딱히 상관없겠다는 느낌이었다.

경사에 서서 보드를 비스듬히 기울이자 천천히 나아갔다. 아코는 그것만으로도 만족스러운 모양이었다.

“거 봐. 해보니까 즐겁지?”

좌악 하고 눈을 헤치며 멈춰선 아키야마가 숨을 헐떡이며 말했다.

변함없이 대단한 학습능력을 발휘해 나름대로 잘 타고 있었다.

잠깐 올라갔다 내려오고, 또 잠깐 올라갔다 내려오면서 평범하게 실력이 늘어가는 중이다.

이야~ 대단하네. 우리는 슬금슬금 움직이기만 할 뿐인데.

“하지만, 응. 생각보다 즐거워.”

“누군가와 경쟁하는 것도 아니고, 실패해도 곤란하지 않은 게 멋지네요!”

넘어질 때는 그냥 넘어져도 되고. 일단 서있기만 하면 천천히 움직이고. 뭘 하더라도 비웃음거리가 되지 않는다.

윈터 스포츠란 좋구나!

"루시안! 위험하다!"

그때 뒤에서 마스터의 잘 울리는 목소리가 들렸다. 뭐야, 위험하다니?

허둥지둥 뒤를 돌아보자—.

"니시무라앗!"

보드를 아래로 내리고 이쪽을 향해 돌진하는 세가와가 눈에 들어왔다!

부딪치겠어! 도망쳐야지!

도망치기 위해 옆으로 돌려고 하는데 세가와가 울 것 같은 목소리로 외쳤다.

"도망치지 마아아아아아아!"

"에에에에에에엑?!"

그렇게 말하면 무심코 발을 멈춰버리잖아!

"잠깐, 너, 나한테 대체 뭘 그만으엑!"

멈추자마자 힘차게 세가와가 부딪쳤다!

게다가 이 녀석 뛰었어! 공중 트릭을 시전하면서 돌격했다고!

"우어어어억!"

나와 부딪친 세가와는 거기서 멈췄지만!

나는 미끄러졌어! 내가 떨어진다고!

"루시안?!"

"우와아아아아앗?!"

돌고 있어! 왠지 돌고 있다고! 시야가 하얗고 파랗고 하얘!

"아아아아아으후아악?!"

부딪쳤어! 뭐랑 부딪쳤어!

이건 뭐야?! 눈?! 코스 구석에 쌓여있던 눈인가!

어떻게든 멈추긴 했지만! 죽는 줄 알았잖아, 어이!

"무사하냐, 루시안!"

"어, 어떻게든."

바로 구출하러 온 마스터가 당겨줘서 비틀비틀 기어 나왔다.

"이야~ 미안, 니시무라! 고마워, 살았어!"

"도움이 돼서 영광이네 이 자식아!"

"니시무라, 괜찮아? 아…… 후훗."

눈더미에서 탈출한 나를 본 아키야마가 갑자기 웃음을 터트렸다.

"뭡니까, 갑자기."

"잠깐! 사진! 사진 찍을게!"

움직이지 마! 라고 펼친 손을 내밀면서 나를 향해 휴대폰을 들었다.

"풉, 니시무라, 눈사람처럼 됐어…… 잠깐, 지금 찍고 있으니까 움직이지 마!"

폭소 불가피 같은 표정의 두 사람이 내게 카메라를 돌렸다.

"에잇, 젠장. 누구 탓이라고 생각하는 거야!"
"이야~ 이거 괜찮네. 산속의 추억이야!"
난 대체 무슨 상태냐고.
"와앗, 루시안!"
뒤쪽에서 합류한 아코가 허둥지둥 말했다.
"눈이 쌓여 있어요."
"털어줘."
그리고 도와줘.

이걸로 반성했으리라 생각했지만, 그 후에도 세가와는 최고속도를 내기 위해 분투하고 있었다.
"히냐아아아앗."
슬금슬금 내려가는 내 옆에서 세가와가 다시 굴러 떨어졌다.
"무사하냐?"
"괜찮아 괜찮아. 눈이니까 전혀 아프지 않거든!"
세가와는 태연하게 웃으며 다시 산을 올라갔다.
"꽤 어렵네. 게임이라면 훨씬 스피드가 잘 나오는데."
"아무리 타봤자 게이지가 쌓이지 않으니까 부스트를 못하잖아요."
"맞아맞아, 그게 문제야."
"문제는 거기가 아냐."
아니, 이건 그런 게임이 아니잖아.

"아이템도 떨어지지 않으니까 방해도 못하고……."

"부탁이니까 앞에 가는 사람한테 등껍질을 던지려 하지 말라고."

진짜로 사건이 벌어지거든.

"아까 살짝 점프해봤는데, 착지하면서 가속하지 않더라. 역시 현실의 스노보드는 점프해도 가속하지 않는 걸까?"

"아카네. 진짜로 가속할 거라 생각했어……?"

"그치만 마찰이 사라지니까 공중이 더 빠르잖아?"

"게임 설정을 궤변으로 이용하면 안 돼!"

"적어도 착지 순간에는 충격으로 감속하는 거 아냐?"

"아, 그렇구나."

세가와는 진짜로 납득한 건지 고개를 끄덕거렸다.

"맞다. 기믹으로 가속하기는 어렵지. 슈바인이 보다 큰 가속을 원한다면 차라리 새로운 보드를 준비하는 게 좋을 거다."

"마스터, 괜찮은 소리를 하네! 렌탈 보드로는 최고속도도 가속도 나쁘니까!"

"음! 비싼 보드를 준비하면 스테이터스도 오를 것이 틀림없다!"

"그, 그런가? 초보자가 어떤 보드를 쓰건 딱히 변함없지 않아?"

"무슨 소리냐!"

아키야마가 고개를 갸웃했지만 마스터는 힘차게 주먹을 쥐었다.

"능력을 올리는 기본은 장비부터 아니냐! 먼저 장비에 돈을 들이지 않으면 효율은 떨어지기만 할 뿐이다!"

"그거, 현실적으로는 『모양새부터 들어간다』에 속하지 않을까……."

"윽."

세가와가 움찔하며 가슴을 눌렀다.

비싼 보드를 사봤자 실력이 늘진 않을 거라 생각합니다.

"어차피 완벽하게 쓰지 못할 테니까 그만둬."

"뭐, 그렇지. 지금의 나로서는 스킬이 부족하다는 느낌이 들어."

"그것을 장비하기에는 레벨이 부족하다!"

우리는 이쪽에서도 레벨이 부족한 모양이다.

"인생은 기본적으로 언제나 레벨이 부족하네요."

"당연하다는 얼굴로 슬픈 소리 하지 마."

"레벨을 올리지 않았으니까요~."

아코는 그렇게 말하며 슬금슬금 천천히 미끄러져 내려갔다.

††† ††† †††

나름대로 연습을 거듭하던 무렵.

마스터가 산 아래에서 조금 위까지를 왕복하는 리프트를 가리키며 말했다.

"그럼 제군. 스노보드도 꽤나 익숙해진 모양이구나. 이제 슬슬 리프트를 타고 올라가서 아래로 보드를 타고 내려오려고 한다."

"저걸 타는 건가요?"

"음. 힘들여 자기 다리로 올라갔다 내려올 필요가 없으니까. 더욱 즐거워질 거다."

리, 리프트를 타? 완만한 곳이라면 괜찮지만 저런 경사를 내려간다고?

우리는 오늘이 처음인 NOOB인데?

어쩌지, 라며 아코에게 시선을 돌리자 그쪽도 역시 새파란 얼굴로 고개를 내저었다.

"너무하네요. 마스터. 저런 걸 탔다간 죽어버리잖아요."

"죽을 리가 없잖아."

꽤나 태연해 보이는 세가와에게 아코가 엄청 진지한 얼굴로 말했다.

"그렇지 않아요! 저걸 보세요! 목숨을 깎아내는 형태잖아요!"

"아무리 봐도 그냥 의자인데."

스키장 리프트는 평범한 의자를 매달아서 움직이고 있을 뿐이니까.

"그러니까 문제에요! 떨어지면 죽을 것 같은 높이에서 의자가 위이잉 하고 움직이는 거잖아요! 저기에 앉아서 이동한다니, 분명 탄 순간부터 난수 계산에 들어가서 일정 확률로 떨어질 거라고요!"

"어디의 망겜이야."

"안 떨어지니까 괜찮아."

"아무리 그렇게 말해도 저에 한해서는 떨어진다고요!"

그야 아코라면 떨어질지도 모르지만.

굳이 따지자면 나도 떨어지는 타입이다.

"괜찮다니까. 자, 타보자."

"가자, 아코~."

세가와와 아키야마가 한쪽 다리로 눈을 박차며 성큼성큼 리프트 쪽으로 향했다.

그 앞에는 2인승 리프트가 위잉위잉 하고 움직이고 있었다.

2인승…… 2인승?

"헉!"

"왜 그러시나요?"

"저 리프트는 2인승이니까 옆에 타는 사람에 따라 안도감이 변하겠지?"

그렇다면!

"마스터! 같이 타자, 같이!"

"에에에에엑?! 저를 버리는 건가요 루시안?!"

"아코 넌 선생님하고 같이 타! 그 편이 안심되잖아!"

"싫어요오오오, 죽을 때는 함께라고요오오오."

"큰소리로 터무니없는 말을 하지 마!"

근처에 있는 사람이 무시무시한 눈으로 이쪽을 보잖아!

"……뭐, 둘이서 사이좋게 타고 오렴."

"먼저 간다."

"우와앗, 버려졌어!"

마스터와 선생님이 가버렸다.

이건 말도 안 돼. 이 초보자 둘이서 탈 수밖에 없다니. 너무 위험하잖아.

"우후후후, 역시 저는 버려졌어요. 같이 있어주는 사람은 루시안뿐이에요."

"이럴 때 나를 향한 신뢰를 더욱 다질 필요는 없거든!"

"루시안, 같이 떠나죠."

"뉘앙스가 왠지 달라졌어!"

이렇게 됐으니 어쩔 수 없지. 최종수단이다.

"……좋아. 포기하고 모두가 내려오는 걸 기다리자."

"그래요. 그렇게 해요."

애초에 억지로 어울려줄 필요는 없다.

하고 싶지 않은 퀘스트는 하지 않는 것이 우리의 저스티스다.

리프트를 타는 줄에서 벗어나서 코스 구석으로 이동해 리프트를 올려다봤다.

세가와와 아키야마가 탄 리프트가 산꼭대기로 올라가는

것이 눈에 보였다.

"잘 해라~."

"살아서 돌아와 주세요~."

"어, 너희들 안 와?"

"저한테는 무리에요!"

"괜찮아 괜찮아! 아코도 이리 와~."

이리 와~, 이리 와~, 하고 점점 멀어지는 아키야마의 목소리가 산에 메아리쳤다.

올라가는 두 사람이 보이지 않게 될 때까지 손을 흔들었다. 우리 몫까지 열심히 타줬으면 좋겠다.

"그럼 멍하니 있어봤자 시시하니까 눈사람이라도 만들자."

"아, 그거 좋네요. 포와링 만들래요!"

"그건 그냥 눈뭉치 아닐까?"

둥근 몬스터니까.

아무튼 동심으로 돌아가서 눈을 뭉쳤다.

"다리가 어렵네요."

"많으니까."

포와링의 촉수 부분을 삭삭 파던 중, 문득 아코가 산 위쪽으로 시선을 보냈다.

"어라? 루시안, 저 리프트 좀 보세요."

다른 일행들이 탄 리프트 쪽이었다.

아코의 말을 듣고 바라보자— 어라, 저건?

"하강 리프트에 사람이 타고 있네."

"그러네요. 리프트로 내려오는 사람도 있네요."

"있기야 하겠지. 아프다거나, 다쳤다거나, 단순히 잘 못 타서 내려오는 게 무리라거나 등등."

"그렇군요, 그럼 저 사람도……."

아코는 거기서 말을 멈췄다.

나도 알아차렸다. 노란색 모자 옆으로 늘어뜨린 트윈테일, 저 실루엣은…….

"루시안, 저거."

"그, 러네……."

우리의 슈바인 님이 울 것 같은 표정으로 하강 리프트에 앉아있었다.

물론 내려오는 쪽에 탄 사람은 저 녀석 말고 없었다.

"…………."

저쪽도 우리를 알아챘는지 다 죽어가는 얼굴로 천천히 고개를 내젓는 모습이 보였다.

『위, 무서워, 절대로, 무리.』

그런 말을 하고 있는 느낌이 들었다.

"어째서 이런 일이……."

"레벨이 부족했던 거겠지……."

돌아온 세가와는 아득한 산 너머를 바라보며 말했다.

"위에서 보니까 수직 같은 벽이었어."

“그, 그랬나요.”

“응, 그랬어…….”

슬픈 사건이었네.

멤버가 한 명 늘어난 포와링 눈사람 제작은 꽤나 그럴싸한 퀄리티로 완성됐다고 자부한다.

포와링이 만들어지고 잠시 뒤.

점점 흐려지던 하늘에서 눈이 내리기 시작하고, 시야가 조금 나빠질 무렵에 마스터와 아키야마, 선생님도 내려왔다.

“다녀왔어. 아카네, 괜찮았어?”

“미안하구나, 슈바인. 혼자 돌려보내다니.”

“늦게 와서 미안.”

내려온 세 사람이 말을 걸자 세가와는 다 죽어가는 얼굴로 답했다.

“괜찮아. 아무 문제없어.”

그러나 그녀는 하지만, 이라며 고개를 내저으며 말을 이었다.

“나는 이제 스노보드 같은 건 두 번 다시 안 탈 거야.”

“그, 그렇게까지?”

트라우마가 돼버렸어!

“아카네, 도중까지는 재밌어했잖아!”

“이러니저러니 해도 잘 타게 된 나나코는 몰라! 상승 리프트를 타고 있던 사람들이 다들 나를 보고 있었단 말이야!”

"나도 같이 리프트로 내려갈 걸 그랬나."

"괜찮아. 세 사람에게는 죄가 없어. 기고만장했던 내가 잘못한 거야."

세가와가 먼 곳을 바라봤다.

"하지만, 두 번 다시 스노보드는 안 탈 거야. 두 번 다시, 스노보드는, 안 타."

"중요한 건가 보네요."

"두 번, 아니 세 번 말했으니까."

"그런 벽 같은 곳을 내려갈 수 있을 리가 없잖아. 다들 이상한 거 아냐?"

"공중 트릭을 멋지게 펼치고 오라고!"

"점프한 순간에 아래까지 떨어질 거야!"

"그, 그렇게까지 험한 코스는 아니었는데."

실제로 내려온 아키야마는 곤혹스러운 얼굴이었다.

"하지만 우리도 중간부터는 고생했다. 아래는 눈이 내리는 정도지만, 위쪽은 눈보라가 꽤 거셌거든."

"큰일이었어~, 앞이 안 보였는걸."

"그 상태에서 태연하게 내려오는 초보자라니."

내가 툭 중얼거리자 아키야마는 뺨을 약간 부풀렸다.

"우, 태연하게 내려오지 않았거든? 큰일이었단 말이야."

"수고하셨습니다."

"니시무라도~."

그녀는 도무지 큰일로 보이지 않는 미소로 답했다.

하지만 아키야마 본인은 정말로 고생했을 것이다.

아무래도 이 사람은 곤란하거나 고생하고 있을 때도 그다지 큰일처럼 보이지 않는단 말이지.

그렇기에 자연스럽게 리더 같은 위치가 되는 거겠지만, 그게 본인에게는 조금 고민거리일 것 같다는 느낌이 들었다. 느낌이 들 뿐이지만.

딱히 확인해볼 생각은 없기에 그저 내 생각에 지나지 않을지도 모른다.

"아래쪽도 눈발이 강해졌네. 그럼 다들, 조금 이르지만 이제 돌아가자."

날씨 상황을 보며 선생님이 말했다.

"그래야겠군요. 위쪽의 눈보라가 내려올지도 모릅니다."

"돌아가자 돌아가자. 이제 보드 같은 건 반납해도 돼."

"아카네, 내일도 타자~."

떠들썩하게 별장 쪽으로 걸어갔다.

"아코, 안 가?"

"저기, 루시안."

아코는 눈앞의 포와링 눈사람에 달라붙어서 슬픈 듯이 머리를 쓰다듬었다.

"이 아이를 데려갈 수는 없나요?"

"……작별인사하고 와."

“우우우, 건강하게 살아주세요.”

의외로 바로 버리고 왔다.

††† ††† †††

선생님의 판단은 정답이었던 모양이다.

별장까지의 짧은 길을 걷는 사이에 눈발이 점점 강해지고 바람이 불어와서 하얀 벽이 눈앞에 있는 것처럼 보이기 시작했다.

별장에 도착할 무렵에는 완전히 맹렬한 눈보라로 변했다.

산의 날씨는 변덕스럽다고 하던데 이건 너무 갑자기 변하잖아.

“사, 살아서 도착했어요!”

“죽는 줄 알았어!”

쫄았어, 완전 쫄았다고.

진짜로 아무것도 안 보이더라니까. 이래서는 제대로 걸을 수가 없다고.

“장난이 아니네. 바로 돌아와서 다행이야. 나이스 선생님.”

“벌써 3월인데도 눈보라가 치네.”

“산 위니 말이다. 이런 날씨도 있지.”

“자자, 쉬는 건 장비를 창고에 넣은 뒤에 하렴.”

선생님이 건조실을 열고 우리의 등을 밀었다.

"장비를 창고에 넣는다니, 게임 같네요."

"하긴 그러네. 유이 선생님~, 장비라는 말 이상하지 않아요?"

"그그그그렇지 않다냐! 보통 이렇게 말한다냐!"

눈을 털고 부지런히 정리를 한 뒤에 겨우 한숨 돌렸다.

창밖을 보자 하얀 눈이 거칠게 쏟아지고 있어서 거의 앞이 보이지 않았다.

"이래서는 바깥에 못 나가겠네."

웨어의 눈을 털면서 세가와가 눈살을 찌푸렸다.

"딱히 나갈 필요도 없으니 괜찮겠지."

짝짝, 선생님이 손뼉을 쳤다.

"그럼 선생님은 목욕탕에 들어갈 테니까, 다들 저녁 준비를 하렴."

"에엑! 고양이공주 선생님 치사하지 않아?"

"치사하지 않단다. 학생의 합숙에서 선생님이 밥을 짓는 것도 이상하잖니?"

"우우우, 거기서 합숙을 변명으로 들먹이는 거야?"

변명이라고 하면 안 되지. 합숙은 합숙이니까.

"그렇게 됐으니, 다들 힘내렴."

선생님은 온천이다냐, 온천이다냐 라며 기쁜 듯이 떠나갔다.

저 사람 그냥 온천에 들어가고 싶을 뿐 아니야?

"그럼…… 일단 저녁밥이네요."

아코가 양손을 꽉 쥐며 말했다.

잘 부탁드립니다. 아코 선생님.

—이렇게 다 떠넘길 줄 알았지만, 이번에는 그렇게 되지 않았다.

"그럼 전원 옷 갈아입고 주방으로 집합이네."

"그래야겠군. 모두 함께 하도록 하자."

세가와와 마스터가 그런 말을 꺼냈기 때문이다.

"어, 너희들도 만든다고?"

"모두 함께 하는 건가요?"

"그건, 필요 없지 않을까?"

"뭐야, 그 반응."

"실례로군."

말은 그렇게 하지만.

"아코만 집합해도 될 거라 생각하는데."

"나도 아코를 도와줄 테니까 괜찮은데?"

"그럼 나도 도와줄 거야. 그치? 아코. 그게 편하지?"

"이럴 때는 부장이 솔선해서 일해야 하는 법이다. 그렇게 생각하지 않나? 아코 군."

초콜릿을 만들어서 자신감이 생겼는지 세가와와 마스터가 쓸데없이 의욕이 넘쳤다.

그만둬! 우리의 마지막 합숙에 유감스러운 저녁밥의 추억이 남아버려!

"구, 굳이 따지자면 방해 기믹 같은 부류 같은데요."

"사양할 것 없어!"

꽤나 진지하게 부정한 아코의 말이 통하지 않아!

"……어쩌죠? 루시안."

아코가 오들거리며 묻는 말에 나는 웃으며 엄지를 세웠다.

"힘내!"

"버리지 말아주세요!"

"자, 만들자. 아코 군. 오늘 저녁은 카레다."

"카레라면 나도 할 수 있겠어."

힘내라, 아코. 오늘 저녁의 퀄리티는 너에게 달렸어.

"……조금 더 눈을 치우고 올까."

"그래야겠네."

세테 씨와 둘이서 남 일처럼 배웅했다.

그 후, 주방에서 들려온 소리는—.

"마스터, 안 돼요. 화력, 화력이 너무 높아요!"

"화력은 높은 편이 좋은 것 아니냐. 레시피에는 강불이라고 적혀 있다만."

"강불은 최고 화력이란 뜻이 아니라, 강불에 알맞은 화력이라고나 할까……."

"아코, 감자도 대충 잘라놓는다?"

"감자는 껍질을 벗기고 나서…… 슈, 슈! 그 식칼은 아니에요! 게다가 그렇게 쥐면! 손가락, 손가락이 베여요!"

"괜찮다니까. 나는 검 마스터리 스킬 레벨 10이니까 날붙이 다루는 건 맡겨두라고."

"슈가 가진 스킬은 양손검 마스터리잖아요!"

"아, 그럼 식칼을 양손으로 들면 되지 않을까?"

"그건 정말로 위험! 위험해요!"

"빠르게, 빠르게, 빠르게……."

"안 돼요. 마스터. 그렇게 연타했다가는 쨍그랑 해버린다고요!"

"아코, 숨김맛으로 이거 넣는다?"

"그렇게 많이 넣으면 안 돼요!"

터무니없는 수라장이었다.

"어머, 좋은 냄새가 나네."

어느새 전투도 절정에 접어들었을 무렵, 목욕탕에서 나온 선생님이 싱글벙글 웃으며 말했지만…….

"그러네요……."

"어, 어째서 니시무라가 그렇게 지친 거니?"

"아뇨. 듣고만 있어도, 참……."

부차적인 대미지가 엄청났다. 광역 공격이기라도 한 건가.

"일단 밥만큼은 제대로 지어놨어."

"나이스 지원입니다. 세테 씨."

"이야~ 맛있었어. 역시 나야."

"음. 내가 했지만 꽤 잘 된 것 같다."
식사 후, 두 사람은 자랑스럽게 말했다.
"설마 그렇게나 맛있을 줄이야……."
식재료의 겉모습은 엉망이었지만 확실히 맛있었다.
"어떻게 저런데도 맛있었을까?"
"사과와 벌꿀을 저지한 덕분이라고 생각해요."
"굿 잡이야. 아코."
아코의 파인 플레이가 빛났던 모양이다.
"에이, 사과랑 벌꿀은 카레의 기본재료잖아?"
"무슨 간식을 만들 생각인데."
그건 숨김맛이야 숨김맛. 평범하게 만들라고 평범하게.
"그럼 밥도 먹었고, 목욕탕에 들어갈까?"
"그래야겠어. 낮에 나갔던 만큼 몸을 데워야지."
"목욕탕 대단하더라. 모두 함께 들어갈 수 있을 정도였어."
"그럼 루시안, 같이 들어갈까요?"
아코가 나를 보며 말했기에—.
"갔다 와."
나는 웃으며 손을 흔들었다.
"어째서인가요!"
"나는 혼자니까 나중에 해도 되잖아."
남녀 같이 들어갈 수 있을 리가 없고.
"어머, 괜찮은데? 아까 가봤는데, 남탕하고 여탕이 나뉘어 있더라."

"어, 진짠가요?"

"그럼. 굉장히 넓던걸."

그렇지? 라며 선생님이 마스터에게 시선을 던졌다.

"네. 확실히 나뉘어 있긴 합니다만."

"흐~응. 그럼 괜찮겠네. 어서 들어가. 빨리 레벨 올리기 시작해야지."

"저쪽 스키장, 밤에도 야간영업 하는데?"

"스노보드는 안 탄다니까."

쓴웃음을 지은 세가와는 게다가, 라며 바깥을 가리키며 말했다.

"눈이 이렇게 오는데 어떻게 타려고."

휘오오오오오, 라는 작은 소리가 들려올 정도로 맹렬한 눈보라였다.

목욕탕 입구는 확실히 남녀가 나뉘어 있었다.

그렇군. 이러면 동시에 들어갈 수 있을 것 같다. 게다가, 무사히.

"일단 말해두지만 니시무라, 엿보면 안 돼?"

"슈, 그건 밀지 마라 밀지 마, 같은 의미인가요?"

"어디의 전통 예술이야?!"

"그런 말 안 해도 엿보지 않을 거야."

"정말이지? 엿봤다간 진짜로 화낼 거야?"

그러니까 세가와, 진짜로 화내는 것 정도로 그친다면 차라리 엿볼까 싶은 생각이 든다고.

안으로 들어가 보니 확실히 탈의실부터 이미 넓었다.

"이거 호텔 같잖아."

중얼거린 말이 조금 울릴 정도로 넓었다.

바로 옷을 벗고 목욕탕으로 나가자 우와, 여기도 굉장한데?

"굉장하다…… 호화롭네."

열 명 이상이 동시에 들어갈 수 있을 것 같은 크기의 탕에서 하얀 온천수가 샘솟고 있었다.

이런 곳을 혼자 써도 되나?

조금 긴장하면서 몸을 씻고 탕에 들어가자 스노보드를 타며 차가워졌던 몸이 후끈 달아오르기 시작했다.

"우와, 따뜻하다~."

익숙하지 않은 스노보드를 타서 지쳤던 몸이 천천히 녹는 것 같았다.

아아, 이것만으로도 여기에 온 가치가 있을지도 모르겠다.

후우, 하고 숨을 내쉬며 몸에서 힘을 뺐다.

그렇게 한동안 온천에 잠겨 있는데 벽 너머에서 덜컹덜컹 하고 문이 열리는 소리가 들렸다.

『넓어! 뭐야 이거, 개인이 이런 곳을 가져도 되는 거야?』

『개인이라기보다는, 집안 소유다만.』

『우와, 그냥 여기서 살 수 있지 않아? 살고 싶어!』

『이렇게 넓은 곳에 루시안 혼자 있다니 쓸쓸할 거예요. 역시 제가 저쪽으로—.』

『그러니까! 아까부터! 가지 말라고 하고 있잖아!』

『자, 아코. 온수 뿌려, 들어가자~!』

『후냐읍!』

『아하하하하, 아코가 가라앉았어…….』

『세~테~ 씨~이~.』

『앗! 잠깐만 아코! 앞머리로 얼굴 가리지 말아줘! 무서워 무서워!』

『저주함~다!』

『그런 유령도 있었지~.』

『꽤나 기운찬 유령이로군.』

우와, 뭐하고 있는지 엄청 신경 쓰인다.

조금 즐거워 보여서 부럽다.

이럴 때는 이 부에 남자가 한 명뿐인 게 쓸쓸하다.

『기분 좋네요~.』

『아아, 세테. 이 온천은 머리카락에도 나쁘지 않다. 풀고 있어도 문제없을 거다.』

『아, 그래? 모처럼 모아놨는데.』

『그 말을 듣기 전부터 그냥 온천에 머리카락을 담가버린 아코가 저기 있는데.』

『그런 건 너무 번거로워요.』

『그 쓸데없는 도량은 뭐야. 다른 곳에 쓰란 말이야.』

즐거워 보인다. 재미있어 보인다.

"……쓸쓸하다."

무심코 툭 중얼거렸다.

『어라? 루시안?』

에엑!

설마 반응이 있을 줄은 생각도 못해서 깜짝 놀랐다!

"드, 들렸어?"

『들렸는데요~, 여기 소리가 잘 울리네요.』

아코가 내 목소리 쪽으로 다가오며 말했다.

『아아, 위쪽이 뚫려 있네.』

『이상한 이야기 하지 않아서 다행이야. 아코 가슴이 굉장하네~ 같은 거.』

아니, 그건 알고 있는데요.

그런 우리를 향해 마스터가 해설하듯이 말했다.

『벽이 얇은 것도 있지만, 평범하게 이어져있으니 말이다.』

"……뭐야 그거, 어떻게 된 거야? 마스터."

『커다란 탕을 중간에 벽으로 나누고 있을 뿐이다. 안쪽에서 반대편으로 갈 수도 있지.』

『에에엑, 같은 탕에 들어온 거야?!』

『이곳은 호텔도 여관도 아니다만? 애초에 남녀를 나눌 필요도 없다.』

"그야 그렇지만!"

『그렇다면!』

아코가 좋은 생각이 났다! 라는 느낌의 어조로 말했다.

그리고 첨벙첨벙 물을 헤치는 소리가 들리기 시작했다.

『이리로 가면 루시안과 알몸의 교제를 나눌 수 있다는 거네요!』

"스톱 아코! 스토~옵! 누가 저 바보를 막아줘!"

『아코, 안 돼! 앉아, 앉아! 기다려!』

『개가 아니거든요!』

『지금 개처럼 행동하고 있잖아!』

내 신부가 험한 대접을 받고 있는데.

『다들 도와줘! 아아, 정말, 날뛰지 마!』

『루~시~아~안!』

『와, 세다! 어, 아코 이렇게 힘이 셌어?』

『아코 군, 어느새 이런 파워를…….』

『감탄할 때가 아니야!』

점점 목소리가 탕 안쪽으로 다가오기 시작했다.

어이어이, 설마 세 사람이 한꺼번에—.

"루시아~안…… 당신의 아코가 왔어요!"

안쪽 벽에서 아코의 머리가 슬그머니 튀어나왔다!

"무섭다고! 오지 마!"

"우후후후, 부부는 함께 목욕탕에 들어가는 법이잖아요."

턱! 하는 커다란 소리와 함께 하얀 손이 벽을 붙잡았다. 뭐야 이 호러!

"돌아가라고 하잖아아아아아!"

"그건 안 돼, 정말로 위험하다니까!"

"우와아아, 너희 둘도 안 돼! 돌아가 돌아가!"

아아아아아아, 아코에게 끌려서 세가와랑 아키야마도 반쯤 이리로 들어오고 있잖아!

보인다고! 보인다니까! 돌아가, 돌아가라고!

"그럼 어쩔 수 없나."

그때, 숨어있던 마스터가 스윽 웅크리더니—.

"비기, 제비 뒤집기."

아코의 다리를 슬쩍 들어올렸다.

앞으로 몸을 기울이던 상태에서 다리가 지면에서 떨어졌기에, 당연히 아코는—.

"어푸!"

"우와아……."

얼굴부터 온천에 처박혔다. 이, 이것도 꽤 심하네.

"루시안! 조금만 더 가면 됐는데!"

"이대로 끌고 가자."

"정말 얘는……."

"소란 피워서 죄송합니다~."

"아, 네. 별말씀을……."

아코는 그대로 끌려갔다.

아아, 여러 의미로 놀랐다.

어서 탕 밖으로 나가고 싶지만— 오히려 한동안은 탕에서 나가지 못할 것 같다.

『우우, 너무해요오.』

『네 행동이 더 너무해.』

『부부라고요. 딱히 나쁘지 않잖아요.』

『그런 건 둘이서 여행에 갔을 때나 하는 거야.』

『루시안, 신혼여행은 언제 갈까요?』

벽 너머에서 나를 불렀기에 어쩔 수 없이 대답했다.

"10년 정도 기다려줄래?"

『너무 늦잖아요!』

『결혼하는 게 전제인 것 같은 대화네.』

『이제 익숙해졌어.』

가볍게 중얼거린 세가와는 조금 그리운 듯이 말을 이었다.

『원래는 아코를 교정할 생각이었는데, 정신을 차리고 보니 어느새 니시무라가 오염돼버렸네.』

『듣고 보니 그렇군. 1년에 걸쳐서 승리한 건 결국 아코 군인가.』

"나는 아직 단념하지 않았어. 아코는 학교에도 나오게 되었고, 진급도 했잖아."

전부 아코의 뜻대로 된 건 아니란 말이야.

『적절하게 밸런스를 맞추고 있네.』

『부부니까요, 양보도 중요해요.』

중요한 부분에서는 단호하게 양보하지 않는 아코가 대체 무슨 소리를 하는 건지 원.

『……그것도 이게 마지막. 조금 아쉽네.』

마음이 입에서 새어나온 듯한, 그런 목소리가 흐릿하게 들려왔다.

『그럼, 이제 슬슬 나갈래. 너무 오래 있으면 레벨 올릴 시간이 없어지니까.』

『아, 아카네. 머리 감겨줄까?』

『……상관은 없지만. 나나코, 그냥 자기 머리를 감겨주길 바라는 거 아냐?』

『길면 힘들단 말이야~.』

『이 부는 머리가 긴 여자밖에 없으니 말이다.』

시끌시끌 떠드는 목소리가 들리고, 탕에서 나가는 물소리가 났다.

그러고 보니 나도 네 사람과 같은 탕에 들어가 있었구나.

그렇게 생각하니 조금 두근두근한걸.

"……응?"

왠지 탕 안쪽에서 부글부글 거품이 오르고 있는데?

저건 뭐지…… 라고 생각하고 있는데 점점 거품이 이리로 다가오고 있었다.

어, 뭐야 이거. 무슨 일이 벌어지는 거야?!

그렇게 내 근처까지 다가오자 첨벙~ 하고 온천이 솟구쳤다.

"루~시~아~안."

"너, 너어!"

큰 소리로 외치려다가 허둥지둥 입을 막았다. 들켜들켜!

뭔가 했더니 아코였냐!

무슨 수중 몬스터인줄 알았잖아! 엄청 놀랐다고!

"아코, 왜 온 거야. 방금 실컷 저지당했었잖아!"

소곤소곤 말하자 아코는 의기양양하게 웃으며 말했다.

"그 정도로 저를 막을 수 있으리라 생각했다면 큰 오산이에요!"

어디 사는 보스야! 기껏해야 잔챙이캐 정도의 포지션이면서!

"좋아. 알았으니까 돌아가. 자, 저쪽."

"잠깐 정도는 같이 있어도 되잖아요."

아코는 자자, 라며 탕을 가득채운 온천을 가리켰다.

"온천이 뿌예서 전혀 보이지 않으니까 괜찮아요."

"그야 그렇지만."

하얗게 물든 탕은 표면 아래가 전혀 보이지 않았다.

탕 안에서 아코가 수영복을 입었든, 타올을 두르고 있든 전혀 모를 정도다.

"……뭐, 상관없지만. 들키기 전에 돌아가라?"

"네~."

애초에 이 상태에서 모두를 부를 수 있을 리가 없고, 내가 아코를 데려다줄 수도 없다. 그리고 지극히 특수한 사정으로 아코의 눈앞에서 탕 밖으로 나갈 수 없는 이상, 이제 내버려둘 수밖에 없다 이겁니다.

내 옆에서 기쁜 표정으로 어깨를 나란히 하고 앉은 아코를 포기하고 받아들일 수밖에 없었다.

역시 부끄럽기는 한지 아코가 조금 거리를 두고 있는 것이 고마웠다.

"우우, 젖은 뒤에는 머리카락이 무거워요."

"그렇게 기니까 말이지."

젖은 머리를 살짝 뒤로 젖힌 아코를 힐끗 바라봤다.

하얀 탕 위로 나온 가느다란 쇄골이 눈에 들어와서 무심코 시선을 젖혔다.

"……왜 그러시나요?"

"아무것도아닙니다."

"왜 말이 그렇게 딱딱한 건가요~."

안 봤어. 전혀 안 봤다고.

아코는 그런 나를 보며 킥킥 웃고는 으응~ 하고 기지개를 켰다.

"그러고 보니 루시안과 함께 온천에 들어온 것도 오랜만이네요."

"아니아니아니, 이게 처음이거든?"

"그렇지 않아요. 함께 갔었잖아요. 포와링 온천!"

"……포와링 온천이라니, 그 포와링 온천?"

LA에서 우리가 언제나 머무는 수도, 그 마을 바깥에는 포와링 같은 형태를 한 연못이 있다.

증기도 나와서 조금 온천 같기 때문에 유저들은 포와링 온천이라고 부르고 있지만…… 어, 그거 말이야?

"화, 확실히 둘이서 거기를 가긴 했지만."

"즐거웠어요."

아코가 싱글벙글 꾸밈없는 미소를 지으며 말했다.

"게임 안에서 온천 같은 연못에 들어간 거랑 현실에서 둘이 어깨를 나란히 하고 탕에 잠겨있는 건 전혀 다르잖아!"

"그렇죠. 조금 다르긴 하지만."

아코는 헤실거리며 내게 미소를 보냈다.

"둘 다 즐겁잖아요."

"……응, 뭐. 응."

그렇게 말하니 입을 다물 수밖에 없었다.

나도 아코와 이렇게 어깨를 나란히 하고 탕에 잠겨있는 게 기쁘긴 하니까.

"……."

"…………."

잠깐 말이 없어진 사이에 벽 너머에서 꺄악 하는 새된 소리가 들렸다.

힐끔 아코를 보자 빤히 나를 보고 있어서 왠지 점점 쑥스러워졌다.

“아코, 얼굴 새빨간데?”

겸연쩍은 듯이 말했다.

열이 오른 걸지도 모르지만, 아마 아코도 쑥스러운 거겠지.

“그치만 부끄럽잖아요.”

“그럼 안 하면 되잖아.”

아코는 나를 향한 스킨십이 지나치고, 어필도 노골적이지만, 원래는 내성적인 타입이다.

예전에도 이런 적은 있었지만 그때도 당황해서 영문 모를 소리를 하기도 했고, 확실히 속으로는 부끄러워하는 면이 있다.

“싫다면 억지로 하지 않아도 돼.”

“싫지 않아요! 싫지 않고, 게다가—.”

잠깐 말을 멈춘 아코는 내 눈을 빤히 바라봤다.

“제가 응석을 부리면, 루시안은 언제나 기뻐해 주잖아요.”

“어…… 그런가? 진짜로?”

“진짜에요!”

거짓말. 내가 그런 표정이었어? 콧구멍을 벌렁거리거나 그랬다고?

척 보면 알 수 있을 정도로 헤실거리고 있었단 말이야?

그럴지도 모르지만, 그렇게 보이고 있었다는 게 부끄러워!

"우우, 하지만 어쩔 수 없잖아. 남자는 여자아이가 달라붙으면 기뻐하는 생물이란 말이야."

내가 변명하자 아코는 고개를 붕붕 내저었다.

"이렇게 만나게 되기 전부터였는데요?"

"만나기 전……?"

만나기 전이라니, 현실에서 만나기 전?

"루시안은 언제나, 채팅에서는 귀찮다~ 라고 하면서도 제가 옆으로 가면 언제나 사이좋게 지내 주었잖아요."

"그랬, 던가."

"그랬어요."

아코는 몸을 앞으로 내밀면서 열변을 토했다.

"제가 옆에 앉으면 루시안은 조금 방향을 틀어서 둘이서 함께 앉은 느낌을 들게 해줬어요! 옆에 서서 말을 걸면 저를 타깃으로 해서 방향을 돌려주고! 감정 표현을 보내면 반드시 감정 표현으로 돌려주고요!"

"그런 일을…… 하긴, 했었지."

듣고 보니 언제나 하고 있었던 것 같다.

딱히 의식하고 한 일은 아니고, 게임 속 아코는 너무나도 자연스럽게 움직이고 있었으니까 나도 같이 하는 게 보통이었을 뿐이다.

하지만 아코는 내 옆에 와서, 나를 올려다보고, 그에 나도 타깃을 돌려서 둘이서 눈을 마주 보는, 그런 사소한 일을 줄곧 기뻐하고 있었던 건가.

"그러니까 같이 있고 싶다고 생각했던 거예요."

게임에서 그랬던 것처럼, 나를 올려다보며—.

"루시안은 언제나 저를 받아들여 주었으니까, 그러니까 저도 노력해서 응석을 부리고 있는 거예요. 루시안이 아니면 절대로 이런 일은 안 해요."

빨개진 얼굴을 한층 더 화악 물들이며 아코는 표정을 풀었다.

"흥미 없어, 그만둬, 라는 말을 들으면 무서워서 두 번 다시 다가가지 못하는걸요."

"……아코 넌 그런 녀석이니까."

그렇게 자신에게 자신감이 없는 겁쟁이 아코가 나에게만은 적극적이고, 응석을 부리는 이유가…… 내가 아코를 무의식적으로 받아들이면서 언제나 보고 있기 때문이라고?

"그래서 저는 루시안을 정말 좋아하는 거예요."

조심조심 손을 뻗어서 내 어깨에 얹은 아코가 몇 번째인지 모를 고백을 했다.

"앞으로도, 줄곧 함께 있어 주실 거죠?"

"어, 아, 으, 응."

좋아한다는 말은 이미 몇 번이나 들어왔지만, 뭐야 이거. 지금까지와는 달라.

"……우와."

"네?"

"우와!"

무심코 물을 화악 끼얹으며 양손으로 얼굴을 가렸다.

뭐야 이거 부끄럽잖아. 엄청 부끄러워. 이 녀석 대체 무슨 소리를 하는 거야?

"어라, 루시안. 얼굴이 빨간데요?"

"지금, 굉장히, 쑥스러워."

"어째서요? 제가 이상한 소리라도 했나요?"

"말했어! 마구 말했잖아!"

자신이 전혀 생각지도 못했던 부분을 들먹이며, 그래서 좋아한다는 말을 해버리면…… 그냥 말만 들은 것보다도 훨씬 마음에 울린다.

그런 식으로 나를 보고 있었던 건가. 말하라고. 좀 더 빨리 말하란 말이야.

"우우우우, 아코의 얼굴을 제대로 볼 수 없어."

"왜, 왠지 굉장히 오랜만에 이긴 것 같은 기분이 들어요."

"이번만은 졌다고."

엄청난 패배감이다. 젠장.

아코가 아직 깨닫지 못한, 내가 아코를 좋아하게 된 부분, 언젠가 반드시 말해주겠어.

그때 벽 너머에서 어라? 하는 소리가 들렸다.

『아코는 어디 갔어?』

『벌써 나간 것 아니냐? 아코 군은 목욕시간도 꽤 짧다.』

『어째서 머리가 그렇게 긴데 바로 끝나는 걸까?』

좋아. 지금이 찬스야.

"스, 슬슬 들키겠네. 돌아가는 편이 낫지 않을까?"

"네. 이러니저러니 해도 실컷 응석부린 것 같아서 만족이에요!"

"그거 다행이네. 젠장."

빨개진 얼굴을 가리자 아코는 만족스럽게 웃었다.

"……게다가, 아직 밤은 기니까요."

"무슨 뜻이야?"

"후후후후후……."

무서운 웃음소리를 내며 아코는 그대로 탕 밑으로 잠수했다.

그러자 하얀 탕 밑에서 뭔가가 움직이면서 거품이 뽀글뽀글 하고 안쪽으로 나아갔다.

"……아코는 잠수가 특기였구나."

행동은 완전히 몬스터였다.

††† ††† †††

"기다리게 했구나. 제군!"

유희실 옆, 현재는 컴퓨터실로 변한 방.

약간 젖은 머리를 흩날리며 마스터가 힘차게 외쳤다.

"메인 기획은 역시 이거지! 절대로 자서는 안 되는 합숙 스타트다!"

"오오오오!"

"겨우 온라인 게임 시간이네요!"

"레벨을 올려야지!"

오늘은 하루 종일 바깥에서 놀았으니까 지금껏 컴퓨터를 건드리지도 못했다.

간만에 하는 온라인 게임에 우리가 기합을 넣는 반면—.

"잠깐잠깐잠깐만!"

세테 씨가 허둥지둥 양손을 휘두르며 말했다.

"옆방 유희실에 당구라던가 다트, 노래방도 있는데?! 왜 여기까지 와서 온라인 게임이야?!"

"그야 노래방보다 온라인 게임이 즐거우니까."

"게임은 언제라도 할 수 있잖아?!"

"노래방도 언제라도 갈 수 있는데요?"

"그건 그렇지만!"

"됐으니까 자, 세테 씨도 빨리 로그인해."

"으~음, 납득이 안 가는데."

낮에는 바깥에 나간 시점에서 우리의 패배였지만, 컴퓨터 실에 모이고 만 이상 우리가 더 강하다.

억지로 밀어붙여서 그녀도 온라인 게임의 세계에 끌어들

였다.
로그인과 캐릭터 선택을 지나 화면에 뜬 것은 여느 때의 찻집.
거의 동시에 모두의 캐릭터가 불쑥 나타났다.
"좋아. 사냥 준비다."
"어디로 갈 건가요?"
"일단 정석대로 거목의 미궁이 어떨까?"
"불이 잘 통하는 곳이니까. 오케이."
마스터의 특기인 화속성 마법이 잘 통하는 식물 몬스터가 대량 발생하는 던전이다.
우리가 안전하게 싸울 수 있는 범위 안에서는 가장 효율이 좋다.
"그럼 창고에 좀 갔다 올게."
장비를 변경하러 마을로 나왔다.
뚜벅뚜벅 걸어서 창고 NPC로 향하는 도중, 왠지 평소보다 마주치는 사람이 적은 기분이 들었다.
"어라? 왠지…… 한산하네."
"점검 이후 같네. 묘하게 사람이 적어."
"어떻게 된 걸까요? 토요일 밤은 사람이 많은 시간일 텐데요."
"이 게임도 드디어 쇠퇴하는 건가?"
"재수 없는 소리 하지 마."

하지만 정말로 사람이 없었다. 여느 때라면 사람들로 북적대는 창고 앞에도 플레이어는 셀 수 있을 정도밖에 없었다.

긴급점검이라도 했던 건가?

아니면 로그인 서버 에러?

"사람이 적으면 효율이 좋은 거 아냐? 빨리 가자."

"그것도 그러네."

원래부터 멤버끼리 사냥하는 경우가 많은 우리는 사람이 적어도 상관없다. 오히려 편해질 정도다.

지금이 찬스이기에 바로 준비를 마쳤다.

◆고양이공주 : 포탈 꺼낸다냐.

◆슈바인 : 렛츠 고!

고양이공주 씨의 이동용 포탈을 타고 던전 앞까지 이동했다.

눈앞의 입구를 통해 던전으로 들어서자 그곳에는— 산더미 같은 플레이어 캐릭터가 보였다.

"우와, 뭐야 이 대혼잡!"

"대체 어떻게 된 거야?!"

"저는 어디에 있는 건가요!"

"진정해, 아코. 바닥을 클릭해!"

이름과 캐릭터가 겹쳐서 어디가 어딘지 모르겠어!

이벤트라도 하고 있는 건가?

◆아코 : 하웃, 죄송해요오.

◆루시안 : 왜 사과하는데.

◆아코 : 왜, 왠지 방해한 기분이 들어서요!

아코가 입구에서 북적대는 사람에게 사과했다.

딱히 사과할 필요 없잖아. 던전은 모두의 공간이니까.

"자, 잠깐만. 정면을 봐봐!"

그때 슈가 허둥지둥 목소리를 높였다.

정면, 던전 안쪽을 보자—.

"우와, 몹몰이를 해왔잖아!"

어떤 탱커가 몬스터를 대량으로 몰아서 입구를 향해 달려오고 있어!

"옆으로 비켜!"

허둥지둥 전원 모두 벽 쪽으로 피했다.

몹들은 우리가 피한 곳을 통과해서 입구에서 광역 공격으로 소멸.

몹몰이를 한 장본인은 노타임으로 던전 안으로 돌아갔다.

◆아코 : 무서웠어요~!

◆세테 : 나, 나는 좀 어울리지 않는 거 아닐까?

세테 씨도 제대로 활약할 수 있는 정도의 난이도인데…….

평소에는 이렇게 사람이 많지 않으니까 말이지.

◆루시안 : 뭐가 어떻게 된 거야……?

◆고양이공주 : 잘 모르겠지만, 너희들은 남에게 폐를 끼치는 사냥을 하면 안 된다냐.

◆슈바인 : 정말, 민폐네.

◆루시안 : 우리도 가끔은 하고 있잖아.

◆슈바인 : 우리는 한산한 맵의 한산한 포인트에서 기다리고 있을 뿐이잖아. 이런 밀집된 맵에서 입구 사냥이라니 웃기지 말란 말이야.

◆애플리코트 : 밀집된 맵. 과연.

조금 안쪽을 바라보던 마스터가 중얼거렸다.

◆애플리코트 : 안쪽에도 사람으로 꽉 찬 모양이다.

◆루시안 : 확실히…… 사람이 끊임없이 걷고 있네…….

◆아코 : 흐에에, 사람이 엄청 많아서 왠지 싫어요.

마을에 사람이 없다 했더니만 다들 사냥을 나섰던 거구나.

"이래서야 제대로 된 사냥은 도저히 무리네."

"이렇게 되면 이동하면서 사냥을 해야겠군."

"사람이 많아서 팝업도 많아질 테니까 천천히 가자."

나를 선두로 모두 던전 안으로 나아갔다.

도중에 몹몰이를 해온 캐릭터와 마주쳤지만 적과는 그다지 만나지 않았다.

또다시 대량의 몬스터를 끌고 달리는 전사가 옆을 지나친 순간.

"아, 그래."

슈가 슬쩍 다가가서 적의 3분의 1을 몹몰이에서 빼내왔다.

"야, 너."

"헤헤헤, 자, 어그로 끌어줘."

얻어맞는 슈에게서 바로 어그로를 끌었고, 마스터가 섬멸했다.

경험치는 짭짤했지만…….

◆아코 : 남의 몬스터를 가져와도 괜찮나요?

◆슈바인 : 무슨 실례 되는 소리를! 이 몸은 몬스터에게 쫓기는 녀석을 구해줬을 뿐이거든?

◆세테 : ㅋㅋㅋㅋㅋ

◆슈바인 : 내가 롤 플레이를 하면 웃지 좀 마.

현실에서 서로 찔러대고 있는 두 사람은 내버려두자.

억지로 따지면 구해준 것이 되겠지만, 뺏긴 사람은 화가 나지 않았을까?

◆애플리코트 : 지금 이건 타깃을 고정해두지 않았던 게 잘못이겠지.

◆루시안 : 한 방도 맞추지 않았던 것 같으니까.

다가가기만 했는데 끌려들어 왔던 걸 보면 한 방도 때리지 않고, 조금도 어그로를 쌓지 않고 끌고 다니는 꽤나 어수룩한 몹몰이였다. 이건 하고 있는 쪽이 더 잘못이라고.

◆아코 : 적이 엄청 많아요!

◆슈바인 : 이거 짭짤하네ㅋ 몹몰이 더 오지 않을까?ㅋ

◆애플리코트 : 몹몰이를 해온 적을 조금이라도 빼내오는 것만으로도 꽤나 올릴 수 있군.

◆루시안 : 너무 지나치게 하면 나중이 무서운데.

맛을 들인 건지 두 사람이 슬쩍슬쩍 몹몰이하는 이들에게서 적을 빼돌렸다.

확실히 꽤나 올리고 있기는 하지만…… 괜찮을까…….

"아, 또 앞에서 몹몰이…… 인데, 조금 많지 않아?"

"이거 대군이다냐……."

많아. 엄청나게 많았다.

뺏을 생각으로 슬쩍 다가갔다간 그대로 뭉개질 것 같은 초대형 몹몰이가 오고 있었다.

"저래서는 뺏으러 갔다가 죽겠네."

"무땅, 이리로 오렴~."

슈와 세테 씨도 잽싸게 던전 구석으로 도망쳤다.

그러나, 그 몹몰이가 통과하기 직전.

◆아코 : 잠깐만요! 뒤, 뒤에서도!

뒤에서 똑같은 규모의 몹몰이가 달려오고 있었다.

우와, 무서워. 이거 말려들었다간 죽는다고?!

◆애플리코트 : 후퇴다!

◆루시안 : 정면충돌하면 어쩌지?

◆아코 : 아뇨. 저기, 충돌이라기보다는…….

처음에는 던전 통로 한가운데를 지나듯이 달리던 플레이어가 슬쩍 진로를 바꿔서 구석으로 도망친 우리 위를 통과하듯이—.

◆아코 : 직격 코스에요!

◆슈바인 : 거짓말이지?!

◆고양이공주 : 냐아아아아아아아아!

◆애플리코트 : 뭐…… 라고…….

두 사람 모두 일부러 우리 뒤를 지나가서 전부 떠넘겨버렸어!

"무리무리무리! 버틸 수 없어! 아코! 엑스!"

"콤보 모으지 않았어요!"

"영창하기 전에 죽었다냐."

"무땅, 나 너무 졸려……."

"장난 아니라고!"

"하하하하하, 이거 죽었군!"

물론 죽었습니다.

우리를 뭉갠 몬스터는 다시 몹몰이를 하러 온 녀석들이 주워갔다.

◆소노라 : 이 정도 양으로 죽는다면 안 오는 편이 낫지 않아?ㅋㅋ

이렇게 도발하면서 가버렸어!

◆아코 : 굉장한 숫자였어요…….

◆슈바인 : 이거 MPK잖아! 신고할 거야!

◆애플리코트 : 확실히 MPK 부류라고 생각한다만…… 이렇게나 사람이 많은 상황에서 벌어진 사소한 사고에 반응해 줄지…….

◆세테 : 역시 사람이 너무 많아서 무리야~, 돌아가자~.

◆루시안 : 이래선 우리가 사냥할 곳이 없네.

◆아코 : 치여서 죽는 건 싫어요.

던전에 사람이 엄청 많으니까 기다리고 있으면 지나가던 힐러가 리바이브를 걸어줄지도 모르지만…….

그걸 기다리지 않고 우리는 일단 돌아가기로 했다.

◆슈바인 : 뭐가 열 받느냐면, 그곳은 딱히 엄청 어려운 던전이 아니잖아! 진짜 폐인이라면 좀 더 좋은 곳으로 가지 않아?

◆루시안 : 그렇지.

◆슈바인 : 그런 곳에서 몹몰이 사냥을 하는 어중간한 폐인 주제에 잘난 척하면서 사냥터를 독점하고 있는 게 열 받는다고! 그 녀석들도 잔챙이인 주제에!

◆루시안 : 그러네.

◆슈바인 : 그리고 네가 대충 맞장구치는 게 무지 짜증나!

얻어맞았다.

엄청 불합리하다고 생각합니다.

"하지만 이건 이상하다. 뭔가 이유가 있다고 봐야겠지."

"마스터, 공식 사이트에 뭔가 공지라도 떴어?"

"음. 확인해보자."

게임 화면에서 브라우저로 윈도우를 바꾼 마스터가 눈을 크게 떴다.

"음…… 그래. 알아냈다."

"뭔가 있었나요?"

"원인은, 이거다."

마스터가 모니터를 우리 쪽으로 빙글 돌렸다.

화면에 비친 것은—.

"신(新) 직업 개방…… 4차 전직 추가 결정?"

그런 공지사항이었다.

……어? 새로운 직업? 상위 단계 전직도?

—진짜로?!

"정말?! 다음 클래스 체인지가 온다고?!"

"거짓말이지?! 우리가 놀고 있는 사이에 그런 공지가 떴다니!"

"음, 이미 패치노트도 공개되었다. 4차 전직을 추가하는 업데이트다."

"정말로 발표됐어! 드디어 온 거구나!"

키보드를 치던 세가와가 화면을 보며 말했다.

확실히 **새로운 클래스 체인지 추가!**라고 크게 적혀 있어!

"이거 한참 전부터 추가 예정이라고 하지 않았던가요?"

"온라인 게임 운영진이 말하는 예정이라는 건 미정이라는 의미야. 아코."

"정확한 일정과 시간이 나오지 않는 한 전혀 신용할 수 없어."

"그런데다 점검 종료 시간도 신용할 수 없다."

"확실히 그런 기억이 무척 많네요……."

이제 곧! 이제 곧 할 테니까! 라고 말하면서 줄곧 미뤄두기만 했단 말이지. 상위 단계 직업으로 가는 클래스 체인지.

"그래픽하고 스킬만 힐끔 보여줘 놓고선 왜 추가되지 않나 싶었는데, 봄방학에 맞춰서 그런 거였구나…… 운영진도 꽤 하네."

"봄방학은 인생이 크게 움직이는 시기고, 많은 사람들의 생활 스타일이 바뀐다. 자칫하면 고객들이 벗어나버릴 테니 온존해두고 있었겠지."

약삭빠른 짓을 하는 운영회사다.

하지만 기쁜 건 기쁘다! 학수고대하던 새로운 스테이지가 나오다니!

그렇게 텐션이 올라간 우리에게 귀찮다는 표정의 아키야마가 물었다.

"다들 왜 그렇게 들떠하는 거야?"

당신은 대체 무슨 소리입니까!

"그치만 새로운 직업이잖아? 상위 전직이잖아? 나나코야말로 왜 그렇게 멍하니 있는데?!"

"왜냐고 물어도…… 난 지금 직업도 다 올리지 못했는걸."

확실히 이제 막 두 번째 전직을 했으니 새로운 전직은 아직 할 수 없기는 하다. 하지만—.

"세테가 LA를 시작하고 나서 상한이 개방되는 업데이트는 없었으니 말이다. 모를지도 모르지."

마스터는 팔짱을 끼며 세계의 진리를 설파하듯이 말했다.

"잘 들어라. 온라인 게임은 끝이 없는 게임이다. 서비스가 이어지는 한 얼마든지 즐길 수 있지. 하지만— 오래 즐기고 있다 보면 점점 할 일이 없어지기 마련이다."

"어, 전부 다 해봤어?"

"전부 다는 아니다. 클리어하지 않은 엔드 콘텐츠가 몇몇 있지."

"……근데 질리는 거야?"

"질리는 법이다."

그렇지. 질리는 법이라니까.

"계속해서 장비를 향상시키거나, 수수하게 레벨을 올리다 보면 아무래도 그렇지."

"추가 콘텐츠가 나와도 던전이거나 이벤트이거나, 비슷한 것들만 반복되면 뭔가 부족해진단 말이야."

"저는 채팅만 할 수 있으면 만족이긴 하지만요."

"뭐, 아코 너야 그렇지."

아코처럼 온라인 게임을 고급 대화 툴로 사용하는 사람은 동료가 남아있기만 하면 질리지 않지만. 우리처럼 게임으로 하고 있으면 원 패턴으로는 한계가 온다.

이후로도 똑같은 일을 반복할 바에는 슬슬 관두자는 이야기가 나온단 말이지.

"하지만 이번 업데이드는 다르다. 또 한 번의 클래스 체인지. 새로운 직업의 추가. 즉, 지금 쓰는 캐릭터가 새로운 힘을 손에 넣는 거다!"

"새로운 스킬도 익힐 수 있고, 새로운 장비도 늘어나고, 한층 강해지는 거라고. 지금까지와는 전혀 다른 방식으로 싸울 수도 있어!"

"지금까지는 가지 못했던 곳에 갈 수 있거나, 새로운 전법이 생기거나, 반대로 익숙해진 던전에서 전혀 다른 사냥이 가능해지는 거야!"

"아, 네…… 그렇군요……."

세테 씨의 리액션이 엄청 대충이야!

"알았으니까 이제 됐어, 같은 표정을 지을 것까지는 없잖아!"

"왜 표정으로 아는 건데?!"

당신에게도 익숙해졌다는 뜻입니다.

아키야마가 자기 얼굴을 살짝 매만졌다.

"으~음, 기대되네! 내 슈바인 님이 각성할 때가 온 거야. 소드 댄서 같은 조금 약해보이는 이름의 직업에서 드래곤 나이트로 화려하게 날갯짓을…… 우후후후후…… 못 참겠어……."

"나도 아머 나이트에서 임페리얼 가드로 대출세하겠네. 예고 무비에도 나왔잖아. 임페리얼 가드 한정의 양손으로 장비하는 초대형 방패! 빨리 장비하고 싶어어어!"

"나의 아크 위저드는 엄청나다만? 영창이 필요한 마법을 처음부터 장전해서 언제라도 해방시킬 수 있는 스펠 차지! 나의 미티어 스트라이크를 두 발 동시에 쓸 수 있는 거다!"

"홀리 클레릭도 무비에 나온 옷이 엄청 귀여웠어요!"

아코의 흥미는 그쪽인가.

홀리 클레릭도 엄청 강해보였는데.

"하지만 나하고는 아직 상관없는 이야기잖아~. 레벨을 어느 정도 올려야 전직할 수 있는 건데?"

"맞다. 조건은 뭐지? 초레어 드롭 아이템이 필요하거나 그런 거 아냐?"

"그럼 곤란해. 기껏 추가됐는데 전직을 못하면 싫잖아."

"새로운 옷, 빨리 입고 싶어요!"

"전직 조건도 발표됐다. 먼저 3차 전직, 모든 잡(job) 퀘스트 클리어. 이건 문제없군."

"응응."

아무리 그래도 그 정도는 끝내놨지.

"엑?"

"응?"

"저, 저기……."

아코가 손을 들며 말했다.

"저, 아직 클레릭인데요."

"…………어?"

아니아니, 무슨 그런 농담을. 아코 네가 이 게임을 대체 몇 년 동안 해왔는데…….

하지만 아코라면 혹시나, 해서 스테이터스를 떠올렸다.

아코의 직업은— 맞다, 클레릭이다.

아코와 고양이공주 씨는 같은 힐러이고 레벨도 비슷하지만, 직업이 달랐다.

아코는 클레릭이고, 고양이공주 씨는 카디널.

이건 단순한 문제로, 클레릭이 상위 전직을 하면 카디널이 된다.

그렇다면—.

"아아아아앗, 확실히 아코는 전직을 안했어!"

"너무 당연해서 잊고 있었어…… 얘 아직도 2차 직업이었어……."

"언젠가 전직을 시키려고 생각하고 있었다만, 완전히 잊고 있었다."

"저는 클레릭으로 일생을 마치려고 생각하고 있어서……."

"무슨 말도 안 되는 소리야!"

안 된다고! 전직의 차이는 엄청 크다니까?!

온라인 게임의 인플레를 얕보지 말라고!

"그럼 아코는 나랑 똑같구나! 동료네, 동료~."

"도저히 납득은 안 가지만, 그러네요."

"나랑 같은 게 싫어?!"

그야 시작한지 반년밖에 안 된 사람하고 같은 레벨 취급

받는 건 바라지 않겠지요.

“애초에 왜 전직하지 않은 건데, 조건은 채웠잖아?”

“레벨도 숙련도도 충분해요. 하지만…….”

아코는 한심한 얼굴로 말했다.

“전직해서 스킬 같은 게 늘어나면, 제대로 쓰지 못할 것 같아서…….”

“아니아니, 그건 노력하라고!”

할 수 있어, 할 수 있어! 나도 연습에 어울려줄 거고! 라고 격려했지만 아코는 힘없이 고개를 내저었다.

“……게다가, 전직하면 일시적으로 약해지잖아요.”

“뭐, 일시적으로는 그렇지.”

숙련도나 직업에 따른 스테이터스 보너스가 줄어들어서 조금 약해진다.

계속 투자하면 현격하게 강해지지만, 그럼에도 한동안은 약한 상태가 이어진다.

“약해지고, 전직했는데 스킬도 잘 못쓰고, 할 일이 늘어나서 힐도 못하게 되고, 그렇게 되면 역시 저를 버릴 것 같아서…….”

아코는 곤란한 표정으로 뺨에 손을 대고는 왠지 자포자기한 듯이 말했다.

“그럴 바에는 그냥 이대로 유지해도 괜찮을 것 같아서요!”

“안 괜찮아!”

강해질 여지가 있는데 조금 불안하다고 포기할 것까지는

없잖아!

“애초에 우리가 그 정도로 아코를 저버릴 리가 없잖아.”

“그건…… 그럴지도 모르지만요…….”

입으로는 그렇게 말하면서도 왠지 불안감이 가시지 않았던 모양이다.

“이 기회에 함께 힘내자고. 지금의 아코라면 괜찮을 거야.”

“에에엑?! 무리에요!”

“괜찮아 괜찮아! 발렌티누스를 뛰어넘은 아코라면 가능해!”

“음! 자, 전직을 하고 와라!”

“우우…… 이, 일단 다른 전직 조건을 듣고 나서 생각할래요!”

뭐, 여타 조건에 따라 다른 부분은 있긴 하겠지.

어려운 퀘스트가 있다면 확실히 수행할 수 있도록 해야 하니까.

“마스터, 다른 전직 조건은?”

“3차 직업의 잡 퀘스트를 모두 끝내면 4차 전직 퀘스트를 받을 수 있다. 그 퀘스트를 클리어하면 전직이 가능하다만…….”

거기서 마스터가 말을 멈췄다.

“……왜 그래? 전직퀘가 그렇게 난이도 높아?”

“그건 아직 추가되지 않아서 모르겠다만…… 그 이상의

문제가 있다. 이게 바로 던전이 무시무시하게 혼잡해진 이유다."

마스터는 침을 꿀꺽 삼키면서 음산하게 말했다.

"전직 퀘스트를 받는 조건이…… 레벨 100이상, 이다."

엑, 백? 100?!

레벨 100?! 진짜로?!

"레벨 100? 캐릭터 레벨 말이죠?"

"이 중에 레벨이 가장 높은 사람이 나고, 98이니까, 아무도 달성하지 못했어……?"

"그래, 바로 그거다."

마스터는 예전 대회에서 검은 마술사 씨한테 들은 말을 괴롭게 되풀이했다.

"우리에게는 무엇보다도, 레벨이 부족하다!"

"우와아아아아, 왜 그런 설정으로 한 거야 이 망할 운영진 놈들아!"

"어째서 난 제대로 레벨을 올리지 않은 거야아아아아아."

"와~! 와~!"

"잠깐 나나코, 기쁜 듯이 말하지 말라고!"

혼자 상관없다고 해서 느긋하기는!

"잠깐 기다려. 계산해볼게. 내 슈바인이 레벨 92니까…… 필요 경험치가…… 다 합쳐서 492,556,260!"

"5억이나 올릴 수 있을 리가 없잖아요!"

"무리잖아. 운영진도 생각 좀 하라고."

수치가 너무 커서 확 와 닿지 않았다.

"아니, 안심해라! 운영진도 그 점을 문제라고 생각했는지, 봄방학 기간 한정으로 모든 몬스터의 경험치를 2배로 올리는 이벤트를 발표했다! 레벨을 올린다면 지금이다!"

"역시 잘 알고 있잖아. GM 냐크땅!"

"운영신이네!"

"신났네, 정말."

몇 번이나 이어진 손바닥 뒤집기에 우리의 손목은 이미 너덜너덜했다.

"이러니 던전에 사람이 많지. 지금 레벨을 올려두지 않으면 따라잡을 수 없는걸."

"느긋하게 놀러온 우리가 죽어버린 것도 납득이 가네."

지금이라면 그들이 필사적인 것도 이해가 간다.

1포인트라도 많은 경험치가 필요하다.

우리의 몬스터를 빼앗는 녀석에게는 죽음을. 자비란 없다.

그렇다면—.

"미안, 아코. 지금 당장 너를 전직시키고 새로운 직업에 익숙하게 만들 여유는 없을 것 같아."

"그렇지. 지금부터 전력으로 사냥을 해야 하는걸. 연습할 때가 아니야."

"괜찮아요! 클레릭으로 힘낼게요!"

"무사히 레벨을 다 올리면 전직시킬 거야! 반드시!"

아코가 프로 카디널이 되고, 나아가서 프로 홀리 클레릭이 될 때까지 연습시킬 거라고!

"이렇게 되면 아코 군도 레벨 100으로 만들어서 단숨에 두 번 전직시킬 수밖에 없겠군!"

"맞아! 오늘 안에 1포인트라도 많이 올려야 해!"

"에에엑, 안 자?! 내일도 스노보드 타야 하는데?!"

"무슨 소리야! 잘 시간 같은 건 없어!"

"지, 진심이야?"

진지한 얼굴의 세가와를 본 아키야마가 새파래졌다.

"다들 그렇게 말하지만 선생님은 허락하지 않으시겠죠?"

"고양이공주 씨도 남은 레벨 2를 올리지 않으면 안 된다냐."

"유이 선생니이이이임?!"

잊어서는 안 된다. 고양이공주 씨는 어떤 의미에서는 우리 이상의 골수 폐인이다.

"모두의 추억 만들기는 어쩔 거야?!"

"괜찮아! 이것도 무척 근사한 추억이 될 거야!"

"분명 괴로운 기억밖에 안 될 거야!"

"그럼 지금부터, 노려라! 레벨 100! 절대로 자서는 안 되는 온라인 게임부 합숙을 시작한다!"

"오오오오오!"

이렇게 레벨 100을 향한 우리의 진정한 합숙이 시작됐다.

††† ††† †††

◆슈바인 : 이 몸의 경험치가아아아아아아아아!

◆루시안 : 하긴 이렇게 되나.

그 후, 수도 없이 거목의 미궁에 도전한 우리는 역시나 매번 죽었다.

MPK를 노리는 폐인들이 많기도 했지만 이 길드는 근본적으로 인원이 적다.

팝업이 가속돼서 몬스터 하우스가 되면 처리가 미처 따라가지 못하게 된단 말이지.

거기서 약간 방해를 받으면 바로 붕괴하고 만다.

"곤란하네. 이대로 가면 경험치가 적자야."

"거목의 미궁에 너무 집착한 걸지도 모르겠군……."

"다른 데 갈만 한 곳은 없어?"

저항을 포기한 아키야마가 책상에 풀썩 엎어지며 물었다.

"잠깐 친구한테 물어봤는데, 다른 곳도 사람들로 꽉 찼다나봐."

"나도 조사해봤는데, 효율 좋은 곳은 전부 들어찼대."

마을에 있어야 하는 사람들도 다들 레벨을 올리기 위해 나갔으니 당연히 꽉 찼겠지.

레벨을 올리자고 말은 꺼냈지만, 어디로 가야 좋을지 모르겠다.

"곤란하네. 아무리 레벨을 올리려고 해도 무리인 건 무리야."

"그럼 인스턴스 던전에 가보는 게 어떠냐. 효율은 다소 떨어지지만 방해꾼인 플레이어는 없다."

"어쩔 수 없네…… 클리어 경험치는 두 배가 되지 않아서 별로 가고 싶지는 않지만……."

마을에서 늘어져있는 것보단 낫기에 일단 인스턴스 던전으로 가보기로 했다. 내가 리더이므로 그대로 인스턴스 던전 입장을 신청했다.

그러자 평소에는 바로 던전으로 빨려 들어가는데, 이번에는 못 보던 표시가 떴다.

"뭐야 이거. 서버 매칭 대기…… 앞으로 150파티……?"

"인스턴스 던전용 서버는 모든 서버가 공통이니 말이다. 지금은 그게 비는 것을 기다리고 있다는 뜻이다."

"어, 그럼 150파티가 인스턴스 던전에 들어가려고 줄을 서고 있다는 거야?"

"음."

이 소리는, 인스턴스 던전에 들어가려면…….

"파티 150개가 던전을 클리어하는 걸 기다려야 한다는 건가요?!"

"그렇게 되지. 필드 던전에서 사냥을 하면서 인스턴스 던전도 신청하는 파티도 많은 거겠지. 상상 이상의 숫자다."

"이래서는 기다리는 사이에 합숙이 끝나버리겠네."

"이 게임, 인기가 이렇게 많았구나."

세테 씨가 이제 와서 감동을 받았다.

하지만 그 인기가 지금은 고민거리가 되고 있었다.

"그냥 레벨 올리기는 포기하고 모두 함께 느긋하게 보낼까요?"

"무슨 소리야? 레벨 100까지 아직 멀었단 말이야! 놀고 있을 여유는 없어! 남은 레벨 8! 경험치 500,604,820을 모아야지!"

"야, 숫자가 늘어났는데?"

"몇 번이나 죽었으니까 어쩔 수 없잖아."

"그러네요. 다들 몇 번이나 죽었으니까요."

정말로 뼈저리게 당했다.

방금 전까지 계속된 죽음이 트라우마가 되어서 좀처럼 움직일 기운이 나지 않았다.

"그럼 순서를 기다리면서 뭔가 하자. 자, 바깥에서 눈싸움이라든가!"

"이런 밤중에…… 그보다 할 수 있는 날씨가 아니잖아."

"……응, 이건 그냥 농담이었어."

창밖으로 시선을 보낸 세테 씨가 어깨를 움츠렸다.

별장 밖에서 휘몰아치는 눈보라는 점점 강해지기만 해서 창문을 열 생각도 들지 않을 정도였다.

"왠지 서스펜스 드라마에 나올 것 같은 시추에이션이네."

세가와는 눈보라가 휘몰아치는 소리에 귀를 기울이면서 조금 재미있다는 듯이 웃었다.

"이런 걸 클로즈드 서클이라고 하던가?"

"그게 뭔가요?"

"외부와 연락이 되지 않고, 바깥으로 도망칠 수 없는 그런 밀실 같은 상황을 말한다."

"그렇군요!"

그렇게 말하고 아코는 컴퓨터 화면을 봤다.

"……연락, 할 수 있는데요."

"무리하면 나갈 수도 있고."

스키장 근처의 별장지니까 눈보라 속이라도 조난이 확정된 건 아니다.

"만약 진짜로 갇혔다면 선생님은 느긋하게 있을 수 없게 되거든."

선생님이 쓴웃음을 지으며 말했다.

그야 뭐, 책임자니까.

"온라인 게임을 할 상황이 아니게 되잖아."

"아니, 우리는 진짜로 갇혔다간 반대로 온라인 게임에 몰두할 것 같은데."

"아니라고 말하기 힘들군……."

"살아남기 위해 노력해줬으면 좋겠다냐!"

그런 상황이 될 리가 없으니까 상관없잖아요.

"하지만 왠지 두근두근하네요. 눈 속에 갇혀버린 산속 별장! 그곳에서 일어나는 살인사건! 같은 거요!"

"서스펜스네~."

"『오마이타치의 밤』도 아니고."[#4]

"오마이타치? 뭐야 그거?"

"살인사건이 일어나는 추리게임이야. 유명한 건데 몰라?"

결정적 대사는, 범인은 너(오마이)[#5]다! 이다.

탐정은 찬넬러가 아니다. 그저 사투리를 쓰고 있을 뿐이다.

"그렇다면 어딘가에 범인이—!"

"없다고. 살인사건 같은 게 일어나면 곤란하잖아."

"남의 별장을 처참한 사건으로 물들이는 건 그만둬줬으면 좋겠다."

세가와가 쓴웃음을 짓고, 마스터가 곤란한 표정을 지었다.

"하지만 실제로 방금 전멸했잖아. MPK였지만."

"그렇긴 하군. PK는 아니었다만……."

말을 잇던 마스터가 갑자기 눈을 크게 떴다.

"그거다! 그래, 좋은 사냥터가 떠올랐다!"

"어디인가요?"

"PvP 필드다!"

#4 『오마이타치의 밤』 일유명 추리게임 『카마이타치의 밤』의 패러디. 오마이타치(おまいたち)는 너희들(おまえたち, 오마에타치)의 도쿄 방언이다.

#5 오마이 오마이(おまい)는 너(おまえ, 오마에)의 도쿄 방언이다.

PvP 필드란 공성전 추가와 같은 시기에 운영진이 대인전 대형 업데이트를 추가했을 때 도입된 PvP를 할 수 있는 필드다.

몬스터가 있고, 평범하게 몹을 잡을 수 있지만 플레이어를 공격해도 대미지 판정이 들어가는 참으로 성가신 맵이다.

아무래도 PvP 서버를 도입하기 위해 실험적으로 만든 것 같지만, 캐주얼 게이머가 많은 레전더리 에이지에서는 그다지 호평을 받지 못했다.

물론 우리도 견학 정도 말고는 가본 적이 없다.

"거기, 경험치 짭짤했던가? 적이 강했던 건 기억나는데……."

"효율로만 따지면 최상급이다. 출현하는 몬스터는 플레이어 캐릭터를 모방한 도플갱어 종류뿐. 보스에 가깝게 스펙이 높지만 그 때문에 경험치도 많다."

"도플 한정 맵이라…… 확실히 짭짤할 것 같지만……."

"들어간 순간 죽지 않을까요?"

"문제는 그거지."

통상 필드에서조차도 MPK를 당하는데 PK를 할 수 있는 맵이라면 즉사당해서 끝나지 않을까 하는 불안감이 든다.

"하지만 경험치가 두 배인 지금이라면, 어느 정도 쌓으면 죽더라도 흑자다!"

"죽더라도 흑자! 좋은 말이야!"

"죽으면 편해질 것 같네!"

"죽어도 좋다고 생각하며 가볼까!"

"역시 온라인 게임은 교육에 나쁜 게 아닐까냐……."

진저리를 치는 고양이공주 씨를 데리고 우리는 PvP 필드로 향했다.

"맵에 들어갈 때 주의사항이 나왔어요!"

"플레이어에게 죽어서 경험치가 감소할 경우가 있습니다, 라는데."

"바라던 바야! 전부 내 검의 녹으로 만들어주겠어!"

그런 말을 나누면서도 두근두근하며 맵으로 들어섰다.

이전 던전에서는 사람이 가득 있었지만, 여기 입구는—.

◆애플리코트 : ……음?

◆슈바인 : 사람이 없어?

◆아코 : 아, 아무도 없네요?

◆루시안 : 그러네.

의외로 아무도 없었다.

입구에 항상 대마법이 쏟아지고 있더라도 이상하지 않을 것 같은데.

◆애플리코트 : 찬스다. 가자. 여기는 몬스터도 강하다. 방심하지 마라.

◆슈바인 : 오케이.

◆세테 : 무땅, 힘내자.

멍멍 짖는 무땅이 주변을 두리번두리번 둘러보는 가운데, 우리는 슬금슬금 나아가기 시작했다.

PvP 맵은 산과 초원이 뒤섞인 넓은 필드다.

전망이 좋은 곳과 나쁜 곳이 뒤섞여서 여러 형태로 전투를 시작할 수 있게 되어 있는 모양이었다.

걷기 시작한지 몇 초 만에 눈앞에 그림자가 보였다.

◆루시안 : 오, 사람…… 이 아니라 도플이다!

◆슈바인 : 겉모습이 마스터랑 비슷해. 마법사 타입이네.

◆고양이공주 : 장비 교체다냐, MDEF를 올리라냐.

바로 장비를 바꾸는 고양이공주 씨가 너무 믿음직스러워서 무서웠다.

모두가 적에 대응해서 그때그때 바꿀 수 있는 장비를 갖고 있지는 않거든요.

◆아코 : 마, 맞아요! 마법사가 상대라면 스킬 실링!

아코의 마법이 도플갱어 로우 위저드를 노렸다! 그러나—.

◆아코 : 아, 안 통해요!

◆애플리코트 : 상대는 보스급이다. 상태이상은 통하지 않아! 딜로 밀어붙이자!

◆슈바인 : 딜이라면 맡겨둬!

◆루시안 : 아파아파 대미지 무지 아파! 뭐야 이거, 세잖아!

◆고양이공주 : 조금만 더 버티라냐!

◆세테 : 힘내~.

회복이 두 사람인 것이 다행이었다.

평소였다면 죽었을 테지만, 어떻게든 버텨내며 쓰러트렸다.

◆슈바인 : 오, 이거 하나로도 꽤 짭짤해!

◆아코 : 눈에 띄게 경험치 바가 올라갔어요!

◆애플리코트 : 어떠냐. 짭짤하지? 여기서 계속 살아남아 사냥을 한다면 레벨 100도 꿈은 아니다.

문제는 살아남을 수 있느냐 하는 거겠지만.

한 마리가 이렇게 강한데 두 마리가 오면 바로 끝이라고.

게다가 PK까지 경계해야 하고 말이지.

◆루시안 : 어려운 맵이네.

◆애플리코트 : 호랑이굴에 들어가지 않고서는 호랑이 새끼를 못 얻는다. 가자!

위험한 상황일수록 가슴이 뛰는 타입인 마스터가 오히려 텐션을 올리며 돌진했다.

그만둬~, 천천히 가자고~.

어떻게든 몬스터를 쓰러트리며 전진하던 중, 나무 그늘에서 반투명하지 않은 인간형 적이 나왔다. 무심코 타깃을 따려고 하다가 순간 멈칫했다.

◆루시안 : 저거, 몬스터야?

◆애플리코트 : 아니…… 아니다. 플레이어로군.

◆슈바인 : 록 온을 하고 잠시 지나지 않으면 플레이어의 이름이 표시되지 않게 되어 있네…… 잘못해서 베어버릴 뻔했어.

뒤숭숭하네. 무해한 사람이라면 큰일이라고.

◆아코 : 첫 번째 플레이어 발견이네요.

◆애플리코트 : 공격해올까?

◆루시안 : 글쎄…….

저쪽도 우리가 플레이어라는 걸 알아봤는지 긴장하며 서로를 마주 봤다.

◆고스톤 : ………….

◆루시안 : …….

저쪽에서 꾸벅, 인사를 했다.

그래서 나도 인사로 답했다.

상대는 잽싸게 떠나갔다.

◆루시안 : 뭐야, 지금의 무언 커뮤니케이션.

◆아코 : 상냥한 사람이라 다행이네요!

그래, 정말로 다행이야. 진심으로 다행이라고 생각해.

◆루시안 : 이 맵을 혼자서 어슬렁거릴 정도의 사람이니까. 습격을 당했다간 그냥 죽었을지도 몰라.

◆아코 : 그런 위험한 상황이었나요?!

◆애플리코트 : 음. 적어도 방금 도플갱어보다는 강적이었을 거다.

◆슈바인 : 당하기 전에 선제공격으로 죽일 수 있었다고 생각하는데.

◆고양이공주 : 선생님으로서는 사람을 죽이는 건 피해줬으면 좋겠다냐.

저도 피하고 싶어요.

상대는 같은 서버의 플레이어니까 원한을 살지도 모르잖아.

우리는 가능한 한 사람을 마주치지 않도록 기원하며 조금씩 몬스터를 사냥했다.

하나하나가 강하기에 좀처럼 긴장을 풀 수 없다. 마우스를 쥔 손에 땀이 배어나는 싸움이 이어졌다.

◆슈바인 : 아아, 정말. 이 녀석들 왜 이렇게 딜이 센 거야~.

◆애플리코트 : 원래는 사냥당하기 위해 있는 몬스터가 아니니까 말이다.

◆루시안 : 무슨 소리야?

◆애플리코트 : 강적과 싸우는 도중에 뒤에서 공격을 함으로써 힘의 차이가 있더라도 PK에 성공하거나, 도망칠 때 적에게 떠넘길 수도 있는, PvP 필드의 기믹 같은 몬스터다.

◆슈바인 : 그러니까 경험치에 상응할 만큼 강하다 이거네…….

◆세테 : 무땅으로는 딜에 보탬이 안 되네…….

◆루시안 : 꽤 보탬이 된다고 생각하는데요.

무땅이 의외로 강했다.

이 사람, 아코와는 달리 포인트를 잡아가며 육성하고 있다니까.

◆아코 : 힘들기는 하지만 경험치는 엄청 쌓였어요! 레벨이 올랐다고요!

빠밤~ 하고 아코가 팡파르를 울렸다.

◆슈바인 : 나도 슬슬 레벨 오를 것 같지만, 100까지는 아직 488,376,750 남았어…….

◆아코 : 줄지를 않네요.

◆루시안 : 이제 그만 봐.

◆슈바인 : 뭐? 그럴 수가…… (´·ω·`)

정신이 아득해지잖아.

◆슈바인 : 그치만 상당히 짭짤해. 아침까지 달리면 2레벨은 올릴 수 있지 않을까?

◆세테 : 아침까지 노력해도 그 정도구나…….

◆루시안 : 그보다 적, 아처 타입이다.

대화 도중에 덮쳐온 도플갱어에게 바로 다가가서 타깃을 고정시켰다.

◆애플리코트 : 아처는 마법이 통한다. 미티어를 쓸 수 있을 거다.

◆루시안 : 오케이. 그때까지는 내가.

◆루시안 : 아, 이런.

큰일이다. 뭐가 인간형 적이 왔어! 이거, 분명 플레이어야!

근처에서 사냥을 하던 파티가 우리 상황을 보러 왔는지 슬그머니 다가왔다.

게다가 거기, 마스터의 미티어 범위 안이야!

◆루시안 : 위험해!

죽으면 미안! 이라고 생각하면서 넉백이 있는 오버드 실드로 튕겨냈다.

날아간 사람이 무기를 든 것과 동시에 상대 파티 사람들도 전투태세에 들어갔다.

이거 싸우게 되려나— 라고 생각한 그때, 마스터의 미티어가 아처에게 착탄했다.

그것을 확인한 사람은 바로 무기를 거뒀다.

◆개무녀 : 아, 고맙습니다.

◆루시안 : 아뇨, 저희야말로.

상대는 짧게 말하고는 바로 자신의 파티와 합류했다.

사, 상냥한 세계야!

◆슈바인 : ……평화롭네.

◆아코 : 그러게요.

통상 필드와는 달리 서로 신경을 써주는 분위기가 있었다.

◆애플리코트 : MPK라면 몰라도 진짜 PK가 시작되면 끝이 없다. 레벨을 올리기 귀찮아지는 사태는 피하고 싶겠지.

◆고양이공주 : 설마 통상 맵보다 PK맵이 평화로울 줄은 몰랐다냐.

수수께끼의 역전현상이 일어나고 있었다.

◆애플리코트 : 하지만 이곳이 짭짤하다는 정보가 퍼지면 다른 곳처럼 거친 공간이 될지도 모른다. 찬스는 지금이다.

◆슈바인 : 팍팍 올리자고!

◆아코 : 냠냠 맛있게 먹어요!

기세를 타고 쭉쭉 사냥을 이어갔다.

바로 슈의 레벨이 올라서 이대로 가면 할 수 있겠다는 감을 얻었다.

◆슈바인 : 잠깐만 기다려. 올릴 스테이터스 좀 생각할게.

◆루시안 : 먼저 정해두라고.

◆아코 : 그럼 휴식이네요.

아코가 그렇게 말하며 마우스에서 손을 뗐다.

나도 조금 손이 아파왔다. 평소보다 집중해서 그런지 지치는 것도 빠르네.

"중간부터 계속 채팅만 쳤으니까…… 옆에 있으니까 말을 하면 되잖아."

"집중하면 그만 버릇으로 채팅이 나와 버리네요."

그런 일이 없도록 모여서 합숙하고 있는 건데 말이지.

"꽤 오래 하고 있는데, 아코는 지치지 않았어?"

"조금 지치긴 했지만, 아직은……."

『꺄아아아아악!』

"어?"

"무, 무슨 소리야?!"

뭔가 단말마의 비명이 들렸는데?!

"음. 내가 죽었다."

"뭐라고?!"

화면을 보자 확실히 마스터가 죽어 있었다.

"누구한테 살해당했어?"

"즉사가 아니라 대미지에 따른 사망으로 보인다만."

"……어라? 내 무땅이 뭐랑 싸우고 있는 것 같은데?"

확실히 화면 끄트머리에서 무땅이 뭔가를 덮치고 있었다.

그리고, 죽었다.

"무~따~앙! 그보다 나도 죽었어!"

소환수가 죽고, 주인도 그 뒤를 따랐다.

어, 뭐야 이거. 뭔가 있어? 뭐로 죽은 거야?

"나도 맞고 있어! 잠깐 기다려, 힐 해줘!"

"안 돼요. 대미지가 너무 커요."

"냐아아, 나도 죽었다냐! 크리티컬이 너무 많다냐!"

"아, 이거 스니크 어택의 기습 대(大) 대미지야. 이런 걸 연발로 먹으면 회복은 무리지."

"루시안, 그렇게 느긋하게 있을 때가…… 아아앗, 루시안이 죽었어요!"

아니, 이렇게 반쯤 괴멸했으면 이제 무리야.

"저도 공격을 받고 있어요. 이건 뭔가요?!"

거의 시간차 없이 아코도 우리의 뒤를 따라 쓰러졌다.

"……투명한 누군가에게 죽었어요……."

적을 록 온 하려고 했던 아코가 새파래진 얼굴로 말했다.

"지금 이거, PK당한 건가?"

죽어서 마을로 돌아오자마자 슈가 고개를 갸웃했다.

"확증은 없지만……."

"파티가 이곳저곳에 있으니 대규모 PvP는 하지 않고 있지만, 그 대신 혼자서 사람을 죽이며 돌아다니는『이 몸이 최가아아아앙!』하는 녀석이 돌아다니고 있는 걸지도 몰라."

"그거 있을 것 같아! 엄청 있을 것 같아!"

"저런 살인귀가 있는 맵에는 있을 수 없어요! 저는 평범한 맵으로 돌아가겠어요!"

아코, 그거 틀림없는 사망 플래그거든?

"경험치는 많았으니까. 또 갈래?"

"하지만 또 전원 살해당할지도 모르잖아."

"자자, 이야기는 끝."

어떻게 할지 고민할 새도 없이 선생님이 손뼉을 짝짝 쳤다.

"마침 좋은 타이밍이네. 슬슬 취침시간이야."

시계를 보니 이제 곧 날짜가 바뀌려는 시간이었다.

"어, 평소라면 아직 하고 있을 시간 아닌가?"

"합숙에서는 몇 시까지는 자라는 규칙이 있거든."

"잤다는 걸로 해두면 되지 않을까요?"

"그렇게 꼼수를 쓰려고 하면 안 된다냐!"

선생님이 울컥 화를 냈다.

"선생님도 레벨 올리고 싶잖아!"

"올리고 싶지만! 이렇게 쉴 때 올려두지 않으면 새 학기에는 신입생에, 반 편성에, 수업도 늘어나고 바빠지니까 꼭 지금 올려두고 싶긴 하지만! 그렇지만 선생님은 선생님이다냐! 너희들이 건전한 고등학교 생활을 보내도록 해주지 않으면 안 된다냐!"

"……네. 죄송합니다."

"네, 넷. 제대로 잘게요."

너무나도 절실한 말이어서 세가와와 아코가 고개를 꾸벅 숙였다.

하지만 솔직히 자는 건 찬성이다.

"어차피 오늘로 끝인 것도 아니고, 내일도 노력하면 되잖아. 매일 밤을 샐 수도 없으니까."

그리고 이건 내 개인적인 의견이지만…….

"덤으로 솔직하게 말하자면, 낮에 간만에 운동을 해서 그런지 벌써 꽤 졸려."

"그건 그러네."

"응. 졸려~."

중간부터 채팅 메인이 된 이유는 입을 여는 게 나른해서 이기도 했다.

익숙하지 않은 스포츠에 도전해서 몸이 지친 거겠지.

“그럼 어쩔 수 없겠군. 오늘은 빨리 쉬기로 하자.”

“네~.”

로그아웃하고 컴퓨터 전원을 껐다.

“근데 지금부터 자는 방도 같잖아.”

“모두 함께 자면서 이야기 나누자!”

세테 씨가 파자마 파티! 라며 기쁜 듯이 말했다.

“나는 혼자이긴 하지만.”

“제가 있잖아요!”

“있으면 안 되잖아.”

“냐웃.”

당연하다는 듯이 내 옆에 있던 아코를 잡아서 세가와에게 넘겨줬다.

“이 녀석, 잘 부탁한다.”

“맡겨둬. 침대에 묶어놓을 테니까.”

사나이답게 고개를 끄덕이는 믿음직스러운 파트너였다.

“자, 빨리 자자. 아코.”

“도~와~줘~요~! 루~시~아~안!”

“잘 자~.”

방으로 돌아가서 바로 침대에 쓰러졌다.

모두와 함께여서 깨닫지 못했지만 상상 이상으로 지친 모양이다.

아아, 졸리다. 이대로 눈을 감으면 바로 자버릴 것 같아.

"이대로 자면 되지만……."

침대에 누웠지만 좀처럼 진정이 되질 않았다.

사실 진정이 되질 않는다기보다는, 왠지 무서웠다.

조용한 방에서 휘이익 휘이익 하고 들리는 눈보라 소리가 무서운 게 아니라—.

뭐가 무섭냐면, 밤은 기니까요, 라고 말했던 아코가 무섭다.

"이 방, 안쪽에서 문을 못 잠그니까."

호텔이 아니니까 그건 어쩔 수 없긴 하지만.

자는 사이에 아코가 오면 무섭고…… 아, 맞다.

옆방도 비어 있잖아. 그럼 거기서 자자.

어디에 있는지 모른다면 아무리 아코라도 포기하겠지.

응, 좋아. 그게 좋겠어.

나는 지친 몸을 이끌고 옆방으로 이동했다.

거의 똑같은 구조의 방이라 가장 안쪽에 있는 침대에 파고들었다.

"아…… 지쳤다."

익숙하지 않은 몸을 쓰는 스포츠를 해서 그런지 몸도 점점 아파왔다.

누가 혼자서 하라고 시켰다면 절대로 하지 않았겠지.

"하지만, 즐거웠지……."

이렇게나 즐거웠는데.

이게 마지막이라고 생각하고 싶지는 않다.

또, 좀 더, 몇 번이고, 모두 함께, 이렇게—.

이런저런 생각을 하는 사이에 점점 의식이 멀어져갔다.

2학년이 되어도, 모두 함께—.

—.

——.

"……루시안?"

"……으응?"

꿈과 현실 사이에서 아코의 목소리가 들린 것 같았다.

"후후후후, 찾아냈어요. 방을 바꿔도 냄새로 알 수 있다고요."

그렇게 기쁜 듯이 말하는 내 신부의 목소리.

"아코~?"

"네!"

짧은 대답.

옷깃이 스치는 소리가 들리고, 근처에서 아코의 향기가 났다.

"에헤헤헤, 와버렸어요."

"어어……."

살짝 눈을 뜨자 베개를 들고 온 아코가 침대 옆에서 나를 내려다보고 있었다.

몽롱한 채로 멍하니 바라보자 아코는 꿀꺽, 침을 삼키더니—.

“시, 실례합니다!”

내 이불을 들추고 그 안으로 들어왔다.

난방이 되고 있지만 그럼에도 피부가 싸늘해지는 설산의 공기.

이불 속이 단숨에 식어버려서 추워졌다.

“으음…… 추워…….”

추워서 눈앞에 있는 따스한 것을 안았다.

“루루루루루루, 루시안?!”

“아아…….”

그대로 따스하고 부드러운 아코에게 몸을 맡기며 눈을 감았다.

아아, 이거 큰일인데. 기분 좋아. 빠져들 것 같아.

곧장 잘 수 있다. 바로 곯아떨어질 수 있다.

“어, 자는 건가요? 이대로 평범하게 자는 건가요?! 루, 루시안?!”

그치만 졸려…….

“후에에에에엑?!”

아코의 목소리가 점점 멀어져갔다.

"있잖아~, 아코~."

"네, 네네네, 네엣?!"

"이게 마지막이 아니라……."

멍한 머릿속에서 가장 말하고 싶었던 것만을 전했다.

"꼭 다시 오자, 모두 함께……."

"……네. 그래요."

누군가가 머리를 쓰다듬는 다정한 감촉.

나는 그대로 의식을 닫았다.

조금 전까지 느껴졌던 추위와 쓸쓸함은 눈 녹듯이 사라졌다.

3장
망탐정 로얄

And you thought there is Never a girl online?

『아코? 먼저 일어났어?』

『뭐랄까, 아니나 다를까, 라는 느낌이로군.』

『응. 아코 침대가 텅 비어서 조금 납득했는걸.』

그런 목소리가 복도에서 들려오자 꿈속에서 의식이 떠올랐다.

『선생님~, 아코 못 봤어?』

『다들 좋은 아침. 나는 못 봤는데?』

뭐야 그 녀석, 아침부터 사라진 건가.

이거야 원, 어디로 갔는지는 모르겠지만 다른 사람들한테 너무 민폐 끼치지 말라고.

그렇게 생각하면서 눈을 뜨자—.

"……조, 좋은 아침이에요."

눈 밑에 다크서클이 생긴 아코가 나를 빤히 바라보고 있었다.

"좋은 아침, 아코. 수면 부족이야?"

"이 기회를 놓쳐서는 안 된다고 생각해서 실컷 만끽하고 있었어요."

"만끽…… 어, 어라?"

이상하지 않아?

왜 아코가 있지?

그보다 나는 왜 아코를 안고 자고 있는 거야?

"에, 에에에엑?! 이거 어떻게 된 거야!?"

"루시안, 기억나지 않나요?"

"……아. 아니, 그래. 기억은 나."

냉정해지자 기억이 떠올랐다.

그래그래. 밤중에 아코가 왔는데, 졸려서 그대로 자버렸었지.

"우와, 미안. 지쳐서 그런가. 그냥 자버렸어."

"아뇨. 저도 상당히 늦게 왔으니까요."

아코는 다같이 있다 보니 이야기가 흥겨워져서, 라며 쓴 웃음을 지었다.

모두 같은 방에 있었으니까 말이지. 부러운 일이다.

그리고 다른 사람들이 잠이 들었을 때 잠입했다는 건가.

"……헉! 잠입했다는 소리는!"

그, 그러고 보니 자는 사이에 내가 아코한테 무슨 짓을 당한 건 아니겠지?

허둥지둥 확인해보자 옷이 벗겨진 흔적 같은 건 없었다. 바지도 입은 상태다.

"……응. 세이프."

"그거 반대에요! 제가 해야 할 일이라고 생각해요!"

"우리에 한해서는 반대가 아니야."

위험했어, 위험했다고. 소중한 것을 잃어버릴 뻔했잖아.

“하지만 아무리 그래도 무시하고 자는 건 좀 아니었네. 미안.”

“꽤나 용기를 내서 왔는데 그냥 자버리다니, 조금 쇼크였어요!”

“이야~ 아코랑 같이 자는 게 이렇게 마음이 편할 줄이야.”

“기쁜 것도 같고, 복잡한 것도 같고…….”

아코는 조금 고민한 뒤에 뭔가 납득했는지 고개를 끄덕였다.

“부부의 침실은 같은 게 좋으니까 오케이네요.”

“아니, 부부 아니거든?”

“여기까지 왔는데 체념을 못하는군요!”

자랑은 아니지만 아무것도 안 했다고.

우우, 하고 뺨을 부풀린 아코의 머리를 쓰다듬었다.

『아, 그럼 니시무라한테 간 거 아냐?』

『가능성은 있군.』

『그럼 남자 방에 가볼래?』

윽!

이리로 온다!

“큰일 났다. 어쩌지?!”

이 상황을 들키면 아무래도 곤란하다. 변명할 여지가 없다.

“어, 어디 숨을 곳이…….”

“쿠울…….”

"자지 마, 자지 마!"

작은 목소리로 아코를 깨우는 사이에 이쪽으로 다가오는 발소리가 들렸다.

아아, 이런 장면을 들켰다간 아무리 그래도 농담으로 넘어갈 수는 없어.

내 고등학교 생활이 끝장나버려!

철컥, 문이 열리는 소리가 들렸다.

『어라? 없네?』

—옆방에서.

『아코도, 니시무라도 없네.』

『으~음. 이 냄새를 보아하니 아코는 오지 않았다냐.』

『고양이공주 선생님, 강아지 같은 소리를 하네.』

『강아지가 아니다냐! 고양이다냐!』

『고양이라고 자칭하는 것도 과연 어떤가 싶지만…… 확실히 여자아이가 있었다는 느낌은 아니네~.』

『세테, 시트에 떨어진 머리카락으로 판단하는 모습을 옆에서 보니 조금 무섭다만.』

마, 맞다! 여기는 내가 쓰던 6호실이 아니다. 옆에 있는 5호실이다.

다들 내가 원래 방에서 잤다고 생각하는 거구나!

짐도 그쪽에 놔뒀고, 잠시 그쪽에서 자고 있었으니까 침대도 쓰고 있던 흔적이 있으니 잠자코 있으면 들키지 않아!

"조용히 있어. 아코."

"네~."

둘이서 꼬옥 끌어안고 기척을 죽이며 모두가 지나가는 걸 기다렸다.

『그럼 먼저 일어난 거 아냐?』

『그러게. 거실에 있나?』

네 사람이 계단을 내려가 거실로 이동하는 소리가 들렸다.

소리가 나지 않을 때까지 천천히 기다린 뒤에 겨우 한숨 돌렸다.

"후우…… 위험했다."

"두근두근했네요."

"여러 의미로 말이지."

힘껏 끌어안고 있던 아코의 몸을 떼어놓고 조금 몸을 숙여서 침대에서 나왔다.

아침부터 엄청난 소동이었어.

"일단 어젯밤 일은 비밀이야."

"선처할게요!"

"절대 비밀이야!"

장난스러운 미소를 지은 아코를 좀처럼 믿을 수가 없었다.

"그럼 오늘 예정 말이다만."

아침식사였던 샌드위치를 먹은 뒤에 마스터가 복잡한 표

정으로 말했다.

"어제와 마찬가지로 스노보드에 도전하는 것도 좋고, 근처 스케이트 링크에 가는 것도 좋고, 눈싸움이나 썰매 레이스를 하는 것도 좋다, 고 생각하고 있었다만……."

그리고 창밖에서 휘몰아치는 눈보라를 바라보며 말을 이었다.

"이래서는 바깥에 나가는 건 어렵겠군."

그랬다. 오늘도 어젯밤과 마찬가지로 맹렬한 눈보라가 몰아쳤다.

도저히 외출할 수 있는 날씨가 아니었다.

"에이, 스노보드 타자~."

"말이야 좋지만 물리적으로 무리잖아."

"그런가아……."

아키야마는 아쉽다는 듯이 창밖을 바라봤다.

"이렇게 눈이 많이 와서는 농담이 아니라 진짜로 조난당할 거야."

"그런가요?"

"에잇!"

"하웃."

시시한 소리를 하던 아코에게 제재를 가한 아키야마가 벌떡 일어났다.

"혹시 일단 나가보면 딱히 문제가 아닐지도 몰라! 잠깐 바깥을 보고 올게!"

"어쩔 수 없네."

"괜찮을까?"

세가와와 아키야마가 현관으로 가는 데 어울려서 같이 현관으로 향했다.

뒤에서 아코가 쫄래쫄래 따라왔다.

현관으로 와도 역시 바깥에서 휘몰아치는 눈보라 소리는 변함이 없었다.

"그래도, 열어보면, 의외로……."

그렇게 말하면서 문을 연 아키야마— 의 얼굴에 맹렬한 기세로 눈이!

"꺄아아아아악!"

"닫아주세요! 빨리 닫아줘요!"

"그러니까 말했는데, 정말."

문을 닫았을 때는 네 사람 모두 눈으로 범벅이 되어 있었다.

"이건 무리겠네."

"순순히 포기하죠."

"모처럼 보드도 빌려왔는데~."

아키야마가 우우, 하고 건조실에 놔둔 장비를 바라봤다.

"……어라?"

그런데 잠시 어리둥절하며 고개를 갸웃했다.

"보드랑 슈즈, 어디 갔어?"

"어? 거기 있는 거 아냐?"

"없어. 하나도!"

듣고 보니 확실히 보드와 슈즈가 사라졌다.

"이상한데. 어제 여기에 말려놨는데."

"마스터가 어딘가에 정리한 거 아냐? 됐으니까 돌아가자."

"……그런가? 이상하네."

정리할 이유도 없는데 일부러 이동시킬 필요가 있나?

어차피 쓰지 않으니 상관은 없지만…….

아키야마와 둘이서 고개를 갸웃하며 거실로 돌아갔다.

"……저, 신경 쓰여요!"

"무슨 소리야? 아코."

"아뇨. 조금, 사건 같아서요."

아코는 혼자서 뭐라 중얼거렸다.

"바깥은 어땠는가냐?"

"무리무리! 1초 만에 눈투성이가 됐어."

"어쩔 수 없다냐. 오늘은 실내 대기다냐."

"그럼 노래방 가자! 유희실에 커다란 게 있었어!"

마이크를 잡는 포즈를 취한 아키야마에게 세가와가 다정하게 웃으며 말했다.

"나나코. 노래하고 와도 돼."

"너~무~해~!"

"남은 경험치 478,235,862를 모으지 않으면 안 된단 말이야!"

"암기하고 있는 거냐."

너 그러다 노이로제 걸린다.

"포기하고 온라인 게임 하자. 온라인 게임부의 합숙이니까."

"우우."

못마땅해 하는 세테 씨를 데리고 컴퓨터실로 이동했다.

어제와 같은 방. 같은 컴퓨터.

어제처럼 로그인하려고 했는데, 어라?

"어라? 연결이 안 되는데요?"

"거짓말. 이럴 때 점검이야?"

"아니…… 접속 에러군. 애초에 회선이 죽었다."

설마 하던 접속할 수 없는 사태.

이럴 수가. 우리는 인터넷 회선이 연결되지 않으면 죽어버리는데!

"눈으로 끊어진 건가?"

"어젯밤에는 문제없었으니 그럴 리는 없다고 생각한다만."

그렇게 말하며 컴퓨터를 잇는 케이블을 따라가던 마스터가 한 점을 응시하며 말했다.

"음. 원인은 이건가."

마스터가 들어 올린 것은 회선을 연결하기 위한 베이스 기계였다.

"모뎀과 광회선을 연결하는 케이블이 사라진 것 같다."
"이러니 인터넷이 연결되지 않지."
"근데 왜 갑자기 사라진 거냐고."
"어젯밤에는 있었는데 말이다."
"아무것도 하지 않았는데 망가졌네요."
"그 말에 폭발하는 사람도 있으니까 그만둬."
실제로 아무것도 하지 않으면 케이블은 사라지지 않으니까.
우리는 저마다 으으음, 하고 신음했다.
"그럼 어쩔 수 없네. 모두 함께 당구나……."
그렇게 말을 꺼내는 아키야마의 뒤편에서 마스터가 철컥 하고 케이블을 연결했다.
"좋아. 이러면 괜찮다."
"에에에에엑?! 어째서?!"
놀라는 그녀에게 마스터가 자신만만하게 가슴을 폈다.
"걱정하지 마라. 예비 케이블 정도는 준비해 놨다."
"나이스, 마스터!"
"나, 나이스…… 인가……?"
왜 아쉬워하는 겁니까.
"나이스이긴 하지만…… 왜 인터넷 회선을 못 쓰게 된 걸까요?"
아코가 예비 케이블을 당기면서 고개를 갸웃했다.
"이유는 알 수 없지만, 위험할 뻔했다. 이 별장은 전화도

인터넷 회선을 이용한다. 회선이 끊어지면 외부와의 연락수단이 사라지거든."

"그, 그런가냐?! 위험했다냐!"

"무서워! 설산 산장에 갇혀버릴 뻔했잖아!"

"『오마이타치의 밤』이네요!"

"너는 혼자서 핑크색 책갈피라도 얻고 있어."#6

리얼하게 무섭네.

그렇게 중요한 건지는 몰랐다.

"다행히 케이블은 예비가 있어서 문제가 없었다만, 만약 정전이라도 되었다간 외부와의 연락은—."

마스터의 말을 가로막듯이 컴퓨터실 전원이 갑자기 꺼졌다.

몇 초 후에 다시 켜지고, 바로 꺼지고— 꺼진 채로, 멈췄다.

"거짓말이지?! 이 타이밍에 정전?! 우리의 레벨 올리기는?!"

"컴퓨터 전원 켰었지? 망가지지 않아야 할 텐데."

"데이터가 날아가면 곤란하니까요."

그런 대화를 나누던 우리에게 아키야마가 허둥지둥 물었다.

"그런 것보다, 정전인데? 전기를 쓰는 건 전부 못 쓰게 되잖아! TV나, 냉장고나…… 난방 같은 것도!"

듣고 보니 전자제품을 전부 못쓰게 되는 건가.

바깥은 변함없이 눈보라가 몰아쳐서 평상복으로 견딜 수 있는 온도가 아니다.

#6 핑크색 책갈피 게임 『카마이타치의 밤』의 보너스 시나리오. 모든 엔딩을 보면 나온다.

아무리 이곳이 건물 안이라도 난방이 멈추면 바로 추워지기 시작할 거다.

"……왠지 추워진 기분이 드네요."

"확실히."

몸을 부들부들 떨면서 세가와가 팔로 몸을 감쌌다.

"오래 이어진다면 대책이 필요하겠군…… 좋아. 다들 거실로 모여라."

어슴푸레한 건물 안을 걸어서 거실에 모인 우리는 방 한 구석에 있던 난로 앞에 섰다.

"이거, 인테리어가 아니라 실용품이야?"

"물론이지. 장식이 아니라 필요에 쫓겨서 사용하는 건 처음이다만."

마스터가 쓴웃음을 지으며 난로 덮개를 벗겼다.

굴뚝을 열고 눈을 털어낸 뒤에 착화제를 놓고 장작을 쌓아 불을 붙였다.

작업 자체는 그다지 오래 걸리지 않고 끝났지만 난로의 불이 커질 무렵에는 이미 거실은 몸이 떨릴 정도로 추워져 있었다.

"양초가 있었어~."

"모포도 가져왔어."

"오오, 땡큐."

세가와에게 모포를 건네받고, 아키야마가 가져온 양초에 불을 붙였다.

난로 불빛으로 방 안은 어느 정도 둘러볼 수 있게 되었지만 일단은 켜 놨다.

"난로를 쓸 수 있어서 다행이네요."

"하마터면 얼어 죽을 뻔했어……."

"설산 산장에서 동사라니, 농담이 아니다냐."

고양이답게 추위에는 약한지 선생님은 모포를 뒤집어쓰고 부들부들 떨며 고개를 내저었다.

"그러고 보니 냉장고 안의 물건은 괜찮을까요?"

요리 담당 아코가 불안해하며 물었다.

"괜찮겠지. 이렇게 추우니까."

"추우니까, 그렇죠."

아코가 붕붕 고개를 내저었다.

"이대로 가면 냉장이 아니라 냉동되지 않을까요?"

"……녹이면 먹을 수 있잖아."

"그럴 수밖에 없겠네. 응……."

어쩔 도리가 없다. 정전된 사이 신선도가 떨어지는 걸로 그친다는 게 더 고맙지.

"오히려 우리가 얼어버릴 것 같으니까."

"루시안. 둘이서 서로 데워주죠!"

"바보 같은 소리를 할 때가 아니야."

달라붙은 아코에게 태클을 걸면서 둘이서 모포를 덮었다.

응. 따스하다 따스해.

“너, 말과 행동이 완전히 모순된 거 아냐?”

“비효율적인 짓을 할 상황이 아니니까.”

죽을 정도는 아니지만, 솔직히 말해서 꽤 춥다고.

그렇게 말하는 세가와도 아키야마랑 달라붙어 있으니까.

“다들 감기에 걸리지 않도록 해라.”

그런 가운데서도 평범하게 괜찮아 보이는 마스터가 초인으로 보였다.

“나는 경험치 478,235,862를 모을 때까지 안 죽을 거야…….”

“레벨 다 올리면 죽는 거냐.”

전직할 때까지 힘내라고.

“컴퓨터도 할 수 없고. 정전, 바로 고쳐지면 좋을 텐데.”

“역시 눈 탓이려나…….”

“여기는 대설 지대다. 어지간한 눈보라로 정전이 될 것 같지는 않다만.”

“하지만 좀처럼 고쳐지지 않는데?”

TV도 안 나오고, 난로에 넣은 장작이 타오르는 타닥타닥 소리와 강한 바람 소리만이 방 안에 울리고 있었다.

“진지하게 호러 같은 상황이 되었네.”

“이제 시체를 발견하기만 하면 정말 사건이겠네!”

"기쁜 듯이 말하지 마. 정말로 나오면 어쩔 거야."

이렇게 떠든다고 툭 튀어나오는 게 아니긴 하지만.

하지만 눈 속에 갇힌 별장에서 전기가 끊기고, 추위에 떨면서 난로를 쬐고 있는 상황이다.

진짜로 살인사건 정도는 일어날 수 있는 분위기이긴 했다.

"호러 같은 느낌…… 아, 맞다! 좋은 생각이 떠올랐어!"

아키야마가 반짝 웃으며 벌떡 일어났다.

"모처럼 이렇게 됐으니까, 모두 함께 합숙다운 일을 하자!"

……합숙다운 일?

††† ††† †††

"—싫은데, 무섭잖아, 라고 생각했지만, 아무래도 신경이 쓰였던 그는 비명이 들린 쪽으로 조금 더 다가갔어. 그 호기심이 문제였지. 그는 보고 말았어. 초보자 플레이어를 PK 하는, 그 남자의 모습을—."

나는 모두의 얼굴을 둘러보며 나지막한 목소리로 말을 이었다.

"튄 피를 흠뻑 맞은 남자의 얼굴은 음침한 기쁨으로 일그러졌고, 이 세상의 것으로 보이지 않을 정도로 무서웠어. 그는 곧바로 로그아웃하고 싶었지만, 그러면 효과음으로 자기가 보고 있던 게 들키고 말아. 슬그머니 그 자리를 떠나려고 움직인 그 순간— PK와 눈이 마주치고 말았어."

"드, 들킨 건가요?!"

"맞아. PK는 확실히 그를 눈치챘어. 곧바로 살해당한다— 라고 생각했는데, PK는 그를 바라보면서 잠깐 움직임을 멈췄어. 그는 그 틈에 도망칠 수 있었지."

"다행이네. 살아서 돌아가다니."

"그렇지. 그는 무사히 마을로 돌아와서 바로 PK 신고를 하기 위해 전투 로그를 확인했어. 하지만 거기서 깨달은 거야. 어째서 PK가 움직임을 멈췄는지에 대한, 그 이유를……."

"무, 무슨 소리야? 전투 로그에 이상한 이력이라도 남았어?"

"아니야. 그는 PK의 증거로 전투 로그 스샷을 찍으려 했어. 그걸 위해 키보드 오른쪽 위에 있는 프린트 스크린 키, 그다지 익숙하지 않은 버튼을 눌렀다가— 깨달은 거야. 그래, PK가 그를 보고 움직임을 멈췄을 때, 그때 상대도 눌렀다는 것을. 그의 전신이 보이는 스크린 샷을 찍기 위해, 익숙하지 않은 프린트 스크린 키를……."

나는 말을 마치고 모두의 얼굴을 둘러봤다.

"이걸로 내 이야기는 끝이네."

"루시안, 평범하게 무서운 이야기가 되었다만."

"괜찮아 괜찮아. 실화니까."

"더 무섭잖아!"

세가와가 붕붕 고개를 내저으며 우리를 둘러봤다.

"그보다 왜 무서운 이야기 대회가 된 건데?! 어떻게 된 일이야?!"

"그야 합숙이라면 모두 함께 무서운 이야기를 하는 일도, 있지 않아?"

"없어! 설령 있다고 해도 이 상황에서 더 이상의 호러 요소는 필요 없다고!"

"현실이 실제로 호러니까."

그다지 무섭지도 않은 이야기였지만 분위기 탓에 무섭게 느껴진단 말이지.

"그건 그렇고 곤란하다냐. 슬슬 한 시간이 지나는데 고쳐질 기미가 없다냐."

"그렇군요. 바로 고쳐질 거라 생각했는데, 오래 걸리는 모양입니다."

마스터와 선생님이 복잡한 표정으로 말했다.

"알았다냐. 선생님이 잠깐 상황을 듣고 오겠다냐."

선생님은 휴대폰을 꺼내서 영차 하고 일어났다.

"듣는다니, 전파는 현관이 아니면 통하지 않는 거 아닌가요?"

거실에 있는 지금도 휴대폰 표시는 권외였다.

"괜찮다냐. 선생님이 갔다 오겠다냐."

"선생님, 괜찮아? 현관은 장난 아니게 추울 것 같은데."

"맡겨두라냐!"

선생님은 몸을 오들오들 떨면서도 힘차게 끄덕였다.

"고양이공주 씨는 선생님으로서 너희들을 지킬 의무가 있다냐! 정전이 언제까지 이어질지 확실히 확인하고 오겠다냐!"

"오, 오오!"

멋있어!

뭔가 모두 함께 코타츠에 들어갔을 때 대표로 귤을 가지러 가는 사람처럼 용사 같은 느낌이야!

"그러니까 다들 얌전히 기다리라냐."

"네~."

이불을 뒤집어쓰고 방을 나가는 선생님을 배웅했다.

정말로 감사합니다.

"그렇게 춥다면 내가 가도 될 텐데 말이지."

"마스터는 어떻게 그렇게 태연해?"

"나름 춥기는 하다."

당당한 태도라서 도저히 그렇게 보이지 않았다.

"나는 이제 잠들었다간 죽을 것 같은 정도인데."

"저도 추워요!"

"아코는 체온이 높으니까 춥게 느껴지겠지."

달라붙어있는 나는 따뜻하지만.

"흠. 좋아. 다들 춥다면 한 가지 제안이 있다."

"제안이라니. 어떤 건데?"

마스터는 손가락을 척 세우며 공중에서 빙글 도형을 그렸다.

“스퀘어, 라는 걸 알고 있나?”

“……사각형?”

대답한 사람은 아키야마였다.

“음. 정답이다. 하지만 그 뜻은 아니다. 설산에서 조난당했을 때 잠을 자지 않고 보내는 방법으로 유명한 의식을 스퀘어라고 부른다. 지금 상황이라면 딱 맞겠지.”

마스터가 일어서더니 방의 네 귀퉁이를 가리키며 말했다.

“방식은 간단하다. 방의 네 귀퉁이에 한 명씩 앉는다. 누군가를 스타트 지점으로 정하고, 옆 귀퉁이에 앉아있는 사람의 어깨를 두드리러 가는 거다.”

“응응.”

“어깨를 두드린 사람은 그 자리에 앉는다. 대신해서 어깨를 맞은 두 번째 사람이 또 옆 귀퉁이에 앉은 사람의 어깨를 치러 간다. 이걸 반복하는 거지.”

“무한 루프네!”

최근에 익힌 말인가? 아키야마, 꽤나 기뻐하면서 말하네.

“이러면 자지 않고 밤을 보낼 수가 있게 된다.”

“그렇구나.”

마스터는 그렇게 말하긴 했지만…….

“나는 그거 알고 있는데?”

“나도 알고 있어.”

세가와가 꺼려하는 얼굴로 말했다.

"그거, 물리적으로 무리잖아. 가장 처음 귀퉁이에 앉은 사람은 두 번째 귀퉁이로 이동하니까 네 번째 사람은 어깨를 두드릴 상대가 없는걸."

"……응? 그런가요?"

아코가 잘 모르겠다는 얼굴이다!

"봐봐, 아코. 무한히 돌려면 항상 네 귀퉁이에 사람이 있어야 하고, 또한 이동하는 사람이 필요하니까 네 명이 아니라 다섯 명이 있어야 하잖아?"

"아, 네. 네?"

전혀 이해를 못했군.

"아, 그렇구나! 그렇지, 네 명이서는 못 하는구나."

그리고 아키야마는 바로 이해했다. 격차 사회였다.

"하지만 괜찮지 않아? 봐봐."

아키야마는 우리를 둘러보며 말했다.

"나, 아카네. 쿄우 선배. 아코. 니시무라…… 마침 다섯 명 있잖아."

"듣고 보니 그러네."

"맞다. 이 인원이라면 성립하겠지? 실은 한 번 해보고 싶어서 말이다. 어울려주지 않겠나?"

마스터는 두근두근 즐거워하며 말했다.

왜 이런 수수께끼의 의식에 흥미를 갖게 된 걸까.

"나는 싫은데……."

"나도 난로에서 떨어지는 건 싫지만…… 하지만 왠지 가만히 있는 것도 그것대로 무섭긴 해."

"뭐, 뭐어, 그러네."

어슴푸레한 방에서 난로 근처에 가만히 있는 것도 실은 무섭단 말이지.

뭐든 좋으니까 몸을 움직이는 편이 나을지도 모른다.

"그럼 배치다. 처음은 여기서부터 시계 방향으로 첫 번째 귀퉁이에 아코 군, 두 번째에는 루시안, 세 번째는 슈바인, 네 번째는 세테를 배치한다. 아코 군을 스타트 지점으로 삼아서 이동한 곳에 내가 들어가마."

"저, 저는 어떻게 해야 하나요?"

"루시안이 있는 곳으로 가서 어깨를 두드리면 OK다."

"알겠습니다!"

"바로 이해했네."

그렇군. 그걸 위한 배치구나.

"그럼 각자 위치에 서라."

"어쩔 수 없네."

"왠지 두근두근해."

이런 아무래도 좋을 때는 신바람을 내는 녀석들이 확실히 배치에 따라 이동했다.

명색이 온라인 게임에서 여러 던전을 공략해온 동료들이다.

배치와 행동을 설명하고 하라고 하면 해낸다.

"준비됐나? 그럼 스타트다!"

아코 옆에 선 마스터가 말하자 모포를 뒤집어쓴 아코가 이쪽으로 걸어왔다.

그리고 앉아있던 내 옆에 허리를 내리고는—.

"자, 루시안."

어깨를 탁 두드렸다.

"오케이."

일어서서 두 번째 귀퉁이로 향했다.

앉아있던 작은 그림자의 어깨를 가볍게 두드렸다.

"자."

"네네."

이거야 원, 이라고 말하려는 듯이 중얼거린 슈바인이 걸어갔다.

세가와에게 어깨를 맞은 세테 씨가 걸어가고, 세테 씨에게 어깨를 맞은 마스터가 아코의 어깨를 두드리러 갔다. 한 바퀴를 돌아 다시 내가 있는 곳으로 모포를 뒤집어쓴 그림자가 다가왔다.

"루시안."

"응."

이곳은 빛의 세기 탓에 잘 보이지 않지만, 아코는 내 어깨를 탁 두드렸다.

NOVEL
온라인 게임의 신부는
여자아이가 아니라고 생각한 거야?
9권 발매 기념 초판 한정 특전
[NOT FOR SALE]
© KINEKO SHIBAI ILLUSTRATION:Hisasi
KADOKAWA CORPORATION ASCII MEDIA WORKS

좋아. 나도 일어나서 옆 귀퉁이에 있는 세가와에게 향했다.

“자.”

“이거 언제까지 할 거야?”

“나한테 물어도 몰라.”

짧은 대화를 나눈 뒤 세가와를 배웅했다.

또 한 바퀴 도는 것을 기다리고, 어깨를 맞고, 걸었다. 한 바퀴 도는 것을 기다리고, 어깨를 맞고, 걸었다.

오로지 그것만 반복했다.

“……의외로 지치네.”

몇 번째인지는 까먹었지만, 세가와를 배웅한 뒤에 슬쩍 중얼거렸다.

“이제 그냥 운동이에요~. 체육 수업 같네요.”

“왕복 달리기 같은 거 말이지. 하지만 수업이었다면 좀 더 큰일이었겠지. 이렇게 느긋해서야…….”

거기서 말이 멈췄다.

어, 어째서 아코가 대답을 했지?

“……아코?”

“네?”

뒤집어 쓴 모포에서 얼굴을 내밀고 보자 아코가 내 옆에 앉아있었다.

“왜 여기 있어?”

“그치만 혼자 있으면 쓸쓸하잖아요.”

“그런 게임이 아니거든?! 언제부터 같이 있었는데?”
“세 바퀴쯤 전부터였는데요.”
세 바퀴나 전부터 나랑 같이 움직이고 있었다고?
그럼, 어떻게 이어지고 있는 거야?
한 명 부족하니까 이어지지 않고 끝나야 하는데.
그렇게 생각 중인 나에게 옆 귀퉁이에서 모포를 뒤집어쓴 그림자가 걸어왔다.
그 그림자는 말없이 내 어깨를 두드리고는 그 자리에 앉았다.
나는 아코를 데리고 옆 귀퉁이에 있는 세가와에게 이동해서 어깨를 탁 두드렸다.
세가와도 딱히 아무 말 없이 아키야마에게 걸어갔다. 아키야마는 마스터의 어깨를 두드리고, 마스터는…… 누구의 어깨를 두드리는 거지?
등골에 오싹 하고 소름이 돋았다.
“저건 누구야…….”
“글쎄요. 누구일까요?”
아코는 순수하게 의아한 듯이 말했다.
왜 너는 그렇게 태연한 거냐고.
나는 무심코 일어나서 전원을 향해 말했다.
“스톱! 스토~옵!”
내가 양손을 흔들자 이쪽으로 걸어오던 그림자도 멈췄다.

"겨우 끝이야?"

"꽤 따뜻해졌네."

옆 귀퉁이의 세가와와 그 너머에 있던 세테 씨도 일어났다.

"왜 그러나? 루시안. 문제가 생겼나?"

그리고 마스터도 있었다.

"……진정하고 들어줘. 아무래도 몇 바퀴 전부터 아코가 나랑 같이 움직이고 있었던 모양이야."

"네~."

내 옆에서 아코가 손을 들었다.

"그야 아코니까. 니시무라가 있는 곳까지 갔으면 그대로 떨어지지 않고 같이 있는 거 아냐?"

쓴웃음을 짓던 세가와가 움찔 굳어졌다.

그래. 그렇다고. 이상하잖아.

"……그럼 뭐야. 중간에 한 명 줄었다는 거야?"

"바로 그거야."

"그럼 끝나지 않아? 왜 이어지고 있었던 거야?"

"그건……."

내가 시선을 돌린 곳.

걸어오는 중이었던, 모포를 뒤집어쓴 그림자에게 시선이 모였다.

그렇다. 있을 리가 없는 여섯 번째 사람이다.

"…………."

모두가 바라보는 가운데, 그림자는 슬그머니 일어섰다.
그리고 방을 가로질러 어째서인지 세가와에게 걸어갔다.
"잠깐, 왜 이리로 오는 거야? 당신 뭐야?!"
"…………."
흔들흔들 하면서 천천히, 천천히 세가와에게 다가가는 그림자.
"오지 마! 다들 보고 있지만 말고 도와줘! 빨리!"
무서워하는 세가와의 눈앞에서 웃고 있는 듯이 어깨를 떠는 그림자.
바람도 없는데 모포가 펄럭이고, 마치 덮치려는 듯이 세가와를 향해 펼쳐졌다.
뒤집힌 모포 속에는—.
"실은 고양이공주 씨였다냐!"
"으아아아아아아악! 시끄러워 이 바보 고양이!"
"우냐아앗!"
우와, 세가와가 모포에서 나온 선생님을 힘차게 후려쳤어.
그랬군. 마지막 한 명은 고양이공주 씨였구나.
아니, 오히려 아니었으면 더 곤란했겠지만. 모르는 사람이 나왔다면 정말로 깜짝 놀랐을 거다.
"우우우, 학생한테 폭력을 당했다냐."
"장난이 너무 심하잖아! 교직원 회의에 나갔다면 이기는 건 나였을 거야!"

BIG

그건 그럴지도 모른다. 세가와의 멘탈 대미지가 심각했다.

"돌아왔는데 다들 즐겁게 놀고 있어서 분위기를 읽었을 뿐이다냐……."

"조금 놀라긴 했지만요."

아키야마가 식은땀을 닦으며 말했다.

이 사람도 선생님을 잊어버렸던 걸까.

"그런데 사이토 교사. 정전 쪽은 어떻습니까?"

"아아, 그렇지냐. 원인은 눈보라가 아니라 같이 쏟아진 우박 탓이었다냐. 따뜻한 시기에 들어선 탓인가보다냐."

"아아, 눈이 아니라 얼음 덩어리 때문에 전선이 끊어진 거구나."

"그렇다고 한다냐. 서둘러 고칠 거라고 했다냐."

"이 눈보라 속에서 전선을 수리하는 분이 있다는 거로군."

정말로 고마운 일입니다.

"조만간 고쳐진다니 다행이네."

"그러네요. 냉장고도 다시 움직이겠어요."

"아코의 걱정은 그쪽이구나."

다들 안심한 분위기가 거실에 흘렀다.

"그건 다행스러운 일이지만, 고양이공주 선생님. 이상한 짓 하지 말아줘. 정말로 놀랐단 말이야. 이 별장, 가뜩이나 이상한 일만 일어나고 있는걸."

"이상한 일이라니 뭔가냐?"

"그랬었지~. 케이블이 사라지거나, 보드가 없다거나."

여기에 오고 나서 묘한 일이 몇 가지 일어났었다.

"……그러고 보니 현관에서 전화하고 있었는데, 차 열쇠도 없었던 것 같다냐."

문득 선생님이 고개를 갸웃하며 말했다.

"열쇠가 없다뇨?"

"분명히 현관 키 케이스에 놔뒀었는데, 찾지를 못했다냐."

어디에 넣어둔 건가냐? 라며 선생님이 의아해했다.

"그럼, 정말로 어디에도 없으면 바깥에 못 나간다는 뜻이야?"

"제대로 뒤져본 건 아니다냐. 아마 잘 찾아보면—."

이야기 도중에 부웅 하고 약한 소리가 들렸다.

그리고 이곳저곳에서 기계음이 들리기 시작하고, 동시에 방에 불이 들어왔다.

오랜만에 본 밝은 빛에 눈이 아플 정도였다.

"아, 고쳐진 것 같네요."

"음. 히터도 다시 켜졌다. 동사할 걱정은 없어 보이는군."

"이것도 나름 좋은 추억이었네. 모두 함께 난로에 둘러앉아 있는 거."

"그러네. 좀처럼 할 수 없는 체험이야. 유령의 습격을 받다니."

"사과할 테니까 용서해줬으면 좋겠다냐."

전부 끝난 것처럼 이야기가 흐르고 있는데, 왠지 모르게 끝난 것 같지가 않았다.

미완료 퀘스트가 산더미처럼 남은 것 같은, 그런 찝찝한 느낌.

"왠지 불길한 예감이 드네."

"그런가요? 저는 즐거웠는데요."

내 모포 안으로 파고든 아코는 싱글벙글 기뻐하며 말했다.

금방 더워질 테니까 슬슬 떨어져줬으면 좋겠다.

††† ††† †††

"여러모로 문제는 있었지만 레벨 올리기 스타트다!"

다시 모인 컴퓨터실에서 오오! 하고 주먹을 번쩍 들었다.

레벨 100을 향한 싸움이 다시 시작된 것이다.

"결국 하는구나……."

"당연하지. 그걸 위해 온 거잖아."

"목적이 바뀌었는데?!"

레벨 올리기는 모든 것보다 우선됩니다.

"그럼, 문제는 어디서 레벨을 올릴까 하는 거네."

"가능한 한 효율이 좋은 곳으로 가야……."

"우리의 최고 효율은 거목의 미궁이다만?"

"어제처럼 무서운 사람이 엄청 많지 않을까요?"

그렇겠지.

로그인한 친구에게서 정보를 구해보니…….

◆리미트 : 브룽크 대화산은 사람이 너무 많아.

◆유윤 : 캐릭터 다시 만든 녀석도 꽤 많은지 초보자 사냥터까지 꽉 찼어.

◆이가스 : 고레벨 사냥터는 대부분 꽉 찼지.

◆디 : 어느 마을에도 사람이 없어ㅋ

"그렇다는데, 어쩌지?"

"이 한가한 녀석들…… 일요일에 달리 할 게 없는 거야?!"

"부메랑이네요!"

"나는 달리 할 게 없거든!"

그게 가슴을 펴고 할 말이냐.

"저는 어제 마지막으로 갔던 곳이 경험치도 좋고, 사람도 적어서 좋다고 생각해요."

"PvP 필드 말이네."

"그 경험치는 매력적이긴 하지."

"한 번 죽긴 했지만, 그 전까지는 순조롭게 갔으니 말이다."

무섭긴 하지만, 죽을 위험이 있다 해도, 엄청난 효율이 눈앞에 있으면 끌리고 마는 것이 온라인 게이머라는 생물이다.

"가, 갈까?"

"가버리죠!"

우리는 질리지도 않고 다시 PvP 필드로 오고 말았다.

조심조심 들어가니 역시 사람이 별로 없었다.

누가 죽었다 같은 메시지도 딱히 보이지 않았다.

“아무리 봐도 평화롭네.”

“오, 도플 왔어.”

아코와 비슷한 클레릭 도플갱어가 다가왔다.

반투명 캐릭터는 이제 익숙해졌어.

“쟤 아코 같아.”

“저랑 닮았네요.”

“그럼 잔챙이잖아.”

“너무해! 힘내주세요, 저!”

“아코 넌 누구 편이야!”

“잠깐, 너 힐 하라고!”

“맡겨두라냐! 아코가 힐을 내팽개치더라도 고양이공주 씨가 있다냐!”

“스킬 실링!”

“스킬을 못 쓰겠다냐!”

“파티를 탈퇴해서 공격까지 해?! 넌 이제 완전히 적이야!”

“그렇게까지 하는 거냐?!”

와아와아 놀면서 사냥을 해도 충분하고도 넘칠 정도로 짭짤했다.

두 배 효과도 포함해서 경험치가 팍팍 올라갔다.

“레벨이 올랐어요!”

"앞으로 462,105,544! 좋은 페이스야!"

"그걸 들으니까 의욕이 사라졌어요."

"두 시간에 16M이나 쌓았는데?! 의욕이 생기잖아!"

"숫자가 너무 크니까……."

그렇지만 이런 상태라면 레벨 100도 가시권에 들어온다.

여기서부터 한층 더 페이스를 올려서 가자!

그렇게 생각하고 있었는데—.

"냐아? 누가 온다냐."

고양이공주 씨의 말을 듣고 보니 경장비 쌍검사가 이쪽으로 다가오고 있었다.

"저건 플레이어네. 반투명하지 않아."

"잘못해서 마법 맞추지 마."

"그런 걱정은 필요 없…… 음?"

문득 시야에서 쌍검사가 사라졌다.

곧바로 돌진과 단거리 텔레포트를 병용하여 단숨에 거리를 좁혀왔다.

"이런! 이 녀석, 한바탕 할 생각이야!"

"PK다냐!"

하지만 어제와는 다르다. 모습이 보이면 대처법도 있다. 이래봬도 앨리 캣츠는 성도 소유한 적이 있는 길드란 말이야!(일주일간)

"내가 막을게!"

루시안을 쌍검사 앞에 내밀고는 타이밍에 맞춰서 방패를 휘둘렀다.

실드 배시. 스턴만 된다면 나머지는 아군의 딜이 어떻게든 해줄 거다!

하지만 쌍검사는 가뿐하게, 그 방패의 일격을 마치 알고 있었다는 듯이 피했다.

"어, 거짓말이지?!"

"뭐하는 거야!"

그보다, 이 회피는 어디서 본 기억이 있는데?!

"마스터, 그쪽으로 갔어!"

"으음."

쌍검사가 마스터에게 검을 휘둘렀다.

2연격으로 HP가 팍 깎여나가고, 다시 쌍검을 동시에 휘둘러서 3격이— 오지 않고, 공격이 뚝 멎어버렸다.

그리고 녀석은 재미없다는 듯이 말했다.

◆바츠 : 뭐야, 애플리코트. PvP 맵인데도 대인 장비가 아닌 거냐.

누군가 했더니만 너였냐!!!

◆애플리코트 : 뭐냐 바츠. 너였나.

◆세테 : 얏호~.

◆바츠 : 오우, 오랜만ㅋ

◆아코 : 오, 오랜만이에요…….

이런 말을 할 정도로 오랜만은 아니지만. 연초에도 만났었고.

◆슈바인 : 이 자식. 만나자마자 덮쳐오다니 그 태도는 뭐야?!

◆바츠 : PvP 맵이니까 보통이잖아ㅋ

◆슈바인 : 확실히 그럴지도 모르지만.

◆바츠 : 너희야말로 왜 몹 사냥 장비인데. 이럼 재미없잖아.

◆애플리코트 : 우리는 여기에 레벨을 올리러 온 거다.

◆바츠 : 너희들도냐. 요즘엔 그런 놈들밖에 없네.

한숨을 내쉬는 감정표현 뒤에 바츠는 정말로 아쉽다는 듯이 말했다.

이 녀석, 뭐 하러 온 거야.

◆루시안 : 바츠. 여기서 뭐하는 거야?

◆슈바인 : 설마 PK하러 온 건 아니겠지?

◆바츠 : 그럴 생각으로 왔는데, 대인전할 생각이 없는 놈들밖에 없으니 죽여 봤자 재미도 없을 것 같아서 어슬렁거리고 있었다고.

그러면서 어깨를 으쓱했다.

저 말투는 거짓말 같지 않았다.

◆애플리코트 : 그럼 PK는 아니라고?

◆바츠 : 아직 아무도 안 죽였는데.

◆아코 : 그럼 어제는 바츠 씨가 아니었던 거네요.

바츠 같은 살해 방식은 아니었으니까.

이 녀석이라면 모습을 감춘 채로 죽이고 슬쩍 사라지는 방식을 취하지는 않겠지.

오히려 정면에서 전부 죽여 버린 뒤에 「잔챙이들 수고ㅋㅋㅋ」라고 말하면서 시체 위에 앉을 녀석이다.

—아니, 그렇게까지 고약한 녀석은 아닌가. 이건 역시 실례일지도.

◆바츠 : 뭐야. PK당했었냐?

◆루시안 : 스텔스한 녀석한테 기습을 당했거든.

◆세테 : 전멸이었어~.

◆바츠 : 호오, 그런 녀석도 있었나.

바츠는 기쁜 듯이 말하고는 씨익 웃으며 검을 뽑았다.

◆바츠 : 그럼 난 그 녀석을 잡아주지.

잡는다니…… 네가?

◆애플리코트 : PK를 역으로 쓰러트리는…… PKK를 하겠다고?

PK— 플레이어 킬러를 역으로 죽인다는 의미로, PK를 상대로만 싸우는 사람을 PKK라고 부르기도 한다.

PK 이상의 폐인이 담당하는 경우가 많기에 서버 최강의 폐인 집단이 되는 경우도 적지 않다.

◆바츠 : 그래그래. 몇 번 죽이면 안 오겠지.

◆애플리코트 : 그건 고맙지만, 괜찮은 거냐?

◆바츠 : 어차피 4차 직업 나올 때까지는 레벨 올려봤자 별 소용도 없고, 한가하니까.

바츠는 가볍게 웃으며 맡아주었다.

뭐야, 의외로 좋은 녀석이잖아.

◆바츠 : 그리고 잔챙이보다는 폐인 쪽이 도발할 때 즐겁잖아ㅋ

아, 역시 이 녀석은 고약한 녀석이다.

◆바츠 : 그래도 혼자선 재미없으니까 한가한 녀석들한테 말을 걸어봐야겠네.

◆루시안 : 상관은 없지만, 다들 바쁘지 않을까?

◆세테 : 한번 물어볼까?

일단 상담만은 해보자.

PK가 있을지도 모르니까 괜찮다면 도와주시지 않을래요?

††† ††† †††

◆†검은 마술사† : 그런고로, 임시 PKK 파티를 꾸리게 됐다. 잘 부탁해.

◆유윤 : 오~.

◆†클라우드† : 고양이공주 씨와 기타 등등을 위하여~.

◆코로 : 기타 등등이라니 대충이네.

◆†클라우드† : 그 외에는 말할 필요 없으니까.

◆바츠 : 그보다 너희들, 발목 잡지 마라ㅋ

◆너구리 약사 : 그럼 버프 안 걸어준다구리.

◆바츠 : 아니 미안. 세빌만은 걸어줘ㅋ

평범하게 모였다. 설마 꽉 찰 줄은 생각도 못했다.

◆세테 : 다들 괜찮아?

◆†검은 마술사† : 업뎃 기다리는 중이라 할 것도 없으니 말이지.

◆너구리 약사 : 4차 직업이 나오고 나서 숙련도랑 스킬을 올리는 김에 레벨을 올리는 편이 낫다구리.

◆아코 : 헤에~.

나, 아코, 슈, 마스터, 세테 씨, 고양이공주 씨, 바츠, 코로, †검은 마술사† 씨, 유윤, †클라우드†, 너구리 씨까지, 설마 하던 12인 파티다.

게다가 다들 상당한 폐인이니까 전력도 쓸데없이 강했다.

어지간한 PK에게는 지지 않을 거다.

◆슈바인 : 자연스럽게 PKK 파티에 끼어들긴 했는데, 우리는 여기에 레벨 올리러 왔거든.

◆바츠 : 덤으로 잔챙이들을 쓰러트리면서 가면 되잖아. 어차피 쓰러트리지 않으면 이동 못하니까.

“그렇다는데, 다들 괜찮아?”

“뭐, 괜찮지 않을까? PK한테 쫄면서 하는 것도 짜증나니까.”

"사람이 많은 편이 즐겁잖아."

"PK를 찾아서 어제의 복수다냐!"

"음. 당하기만 하는 것도 재미없지."

다들 의욕이 넘쳤다.

이러니저러니 해도 온라인 게임 안에서는 지기 싫어하는 면이 있다니까.

"저, 저기, 이 인원에서 힐러가 저랑 고양이공주 씨밖에 없는데요!"

"발렌티누스를 돌파한 아코라면 여유롭잖아."

"그건 연습해서 그렇고! 대인원 파티는 서툴다고요!"

"할 수 있어, 할 수 있어. 실패해도 아무도 개의치 않을 거고."

"우우우, 정말인가요?"

그러니까 안 버린다니까.

아코의 불안을 가볍게 뿌리친 뒤에 PKK 파티의 진군이 시작됐다.

◆루시안 : 슬슬 디버프 버거운데.

◆코로 : 교대.

내가 채팅을 친 것과 거의 동시에 코로의 도발 스킬이 몬스터에게 날아갔다.

어쌔신 도플갱어가 부여하는 맹독 디버프는 회복력과 방

어력을 감소시키고, 지속 대미지도 준다.

내 루시안은 6회 이상 중첩되면 버티지 못하게 되는데, 그걸 알고 있다는 듯이 탱킹을 교대해준 것이다.

이런 이심전심이라니. 상대가 숙련된 탱커면 편하구나.

◆슈바인 : 하핫! 쩐다, 이 몸 무지 세잖아!

◆바츠 : 그 레벨에서 나보다 대미지가 더 나오다니, 얼마나 딜에 쏟아 부은 거냐고ㅋ

근접들도 즐거워 보인다.

대미지 수치 경쟁이 시작돼서 조금 전부터 엑스댐 요구가 기세를 올리고 있었다.

◆유윤 : 방어가 3단계 내려가기 전에 쓰러트리지 못하면 내 승리네.

◆세테 : 뭐야 그 규칙ㅋ

◆너구리 약사 : 모두에게 버프를~ 걸어준다구리~.

◆루시안 : 딱히 약사의 버프는 본인이 노래 부르지 않아도 되는데요.

◆너구리 약사 : 노래한다구리~.

◆루시안 : 너구리 씨 완전 너구리 씨.

시끌시끌 떠들면서 엄청난 기세로 적을 쓰러트리며 필드를 돌파해갔다.

◆세테 : 이거 편하네~.

◆루시안 : 평소하고는 다르니까.

파티 멤버가 많으니까 버프와 디버프의 양이 현격하게 차이난다.

멤버의 절반이 레벨 100을 넘어서 장비도 윤택한 사람들이니 들어가는 대미지도 엄청나고, 움직임도 좋다.

적을 쓰러트리는 스피드도, 안정감도, 얻을 수 있는 경험치도 터무니없이 높다.

"뭐야 이거. 나 이제 군침이 도는 것 같아."

"레벨 올리기에는 그다지 흥미 없었는데, 이렇게 엄청난 기세로 오르니까 기분 좋네."

"나나코는 레벨 낮아서 상당 부분 경험치가 조정되어 있긴 하지만."

그럼에도 오른다. 엄청난 기세로 오른다.

앨리 캣츠만 있을 때에 비하면 두 배 이상의 효율을 내고 있었다.

◆아코 : 힐이~, 힘들어요~.

◆루시안 : 고양이공주 씨한테 모조리 떠넘기고 있지 않은 것만으로도 성장한 거야.

◆고양이공주 : 의도적으로 힘을 빼서 연습시키고 있는 거다냐.

◆아코 : 역시나아아아!

힐러는 힐러대로 지도를 해주고 있는 모양이었다.

◆세테 : 코로 씨, 코로라는 이름은 무슨 의미야?

◆코로 : 늙은 여우(古狐)라는 뜻의 코로인데요.

◆세테 : 아아, 여우구나. 그러고 보니 귀가 조금 여우같네.

◆코로 : 사실은 귀를 달고 싶긴 하지만 탱커라서.

"저렇게 친구를 늘리는구나. 저 사람."

"어, 평범하게 이야기만 하고 있는데."

모르는 사람에게 직접 말을 거는 온라인 게임 플레이어는 그다지 많지 않으니까.

천연 마당발이야. 저 사람.

이렇게 순조롭게 사냥이 진행되고 있었지만…….

◆바츠 : 그런데 PK 없네.

◆†검은 마술사† : 사람은 꽤 있는 것 같지만 말이지.

플레이어와는 가끔 만나지만 딱히 전투는 일어나지 않았고, 오로지 도플갱어를 쓰러트리기만 하고 있었다.

◆슈바인 : 우리는 그래도 상관없긴 하지만.

◆바츠 : 아니, 재미없잖아…… 아, 옳거니.

◆슈바인 : 왜 그래?

◆바츠 : 아니, 아무것도 아니야ㅋ 안쪽까지 청소했으니까 입구 쪽으로 가자고ㅋ

왠지 갑자기 기분이 좋아진 바츠에게 이끌려 입구 쪽으로 이동했다.

그때, 마침 입구로 돌아가려던 무렵.

적도 없는데 샤키~잉! 하는 커다란 이펙트가 들려왔다.

◆세테 : 어라?

◆아코 : 세테 씨~!

우와아아앗, 가위가! 세테 씨의 목에 가위가 직격했어!

어디에 숨어있었는지 모를 검은 장비의 어쌔신이 세테 씨에게 기습공격을 했다.

슈에게도 지지 않을 한 방 즉사가 세테 씨를 덮쳤다.

◆루시안 : 세테 씨가 죽었어! 어째서! 세테 씨 어째서!

◆세테 : 게다가 이 사람, 내 위에서 가위를 샤키~잉 샤키~잉 하고 있어!

◆슈바인 : 가위손이냐고.

도발 스킬 높은데? 이 PK.

◆†검은 마술사† : PK가 나왔다! 붙잡아라!

◆너구리 약사 : 구리!

모두가 목표를 포착했지만 PK의 움직임이 장난 아니었다. 화살과 마법이 날아오는 것을 가위로 샤킹샤킹거리며 피하고는 잽싸게 숲속으로 도망쳐버렸다.

◆슈바인 : 이놈들아, 쫓아가!

◆루시안 : 놓칠 것 같냐!

◆루시안 : 어라?

쫓아서 숲으로 들어간 직후, 철컥! 하는 SE와 함께 내 루시안의 움직임이 멈췄다. 우왓, 함정이다!

◆루시안 : 함정 가위가!

◆슈바인 : 세심하게 함정까지 걸어놨었나.

◆바츠 : 이러면 못 쫓아가겠네ㅋ

어울리지도 않게 나중에 찾아온 바츠가 즐겁게 웃었다.

◆슈바인 : 완전히 휘둘렸는데 왜 웃고 있는 거야.

◆바츠 : 아니아니, 재밌어졌잖아.

◆세테 : 내 경험치는?

◆바츠 : 곧바로 지금 이상으로 올릴 수 있잖아ㅋ

효율이 좋으니까 사망 페널티는 문제없겠지만, 또 PK가 나왔다는 사실이 무서웠다.

"역시 PK가 있었나……."

"살인귀가 있는 숲이네요……."

"숲을 통째로 태워버리고 싶어지는군."

"그만두라고."

살인귀가 아닌 플레이도 숲에 가득 있으니까.

◆유윤 : 내가 은밀 간파할 수 있으니까 HP 낮은 캐릭은 옆에서 떨어지지 말도록~.

◆아코 : 네~.

◆†검은 마술사† : 흐~음…… 과연.

함정을 보고 있던 검은 마술사 씨가 의미심장한 표정으로 끄덕였다.

◆루시안 : 왜 그러시나요?

◆†검은 마술사† : 아니아니, 즐거워졌다고 생각해서ㅋ

◆코로 : 그러네.

왜 PK가 나오니까 텐션이 올라가는 겁니까, 당신들.

아무튼 가만히 있을 수는 없다.

HP가 적은 멤버를 지키는 포진을 짜서 나아갔다.

◆슈바인 : 이렇게 되면 가장 위험한 건 이 몸이겠네.

◆바츠 : 그렇게나 딜링 특화면 내구력 쓰레기잖아ㅋ

◆슈바인 : 쓰레기라고 하지 마, 종잇장이라고 하라고.

◆너구리 약사 : 또 머리카락 이야기를 하고 있다구리…….[#7]

◆세테 : 잘 보니 너구리 씨, 왜 대머리 캐릭?ㅋ 왜 이런 캐릭터 메이킹을ㅋ

◆슈바인 : 상관없잖아. 취향이니까.

그렇게 말한 슈바인에게 푸욱, 화살이 꽂혔다.

……화살?

◆애플리코트 : 적이다!

◆아코 : 힐! 힐!

◆슈바인 : 앗, 큰일 났다. 이 화살 마비되는 것 같아.

◆고양이공주 : 따라잡질 못하겠다냐!

투바바바바바박 하고 개틀링처럼 화살이 꽂혀서 화살꽂이가 되어버린 슈바인이 털썩 쓰러졌다. 회복이 따라잡지 못할 정도로 빠른 속도였다.

◆루시안 : 또 PK냐!

#7 머리카락 이야기 종잇장(紙, 카미)과 머리카락(髮, 카미)는 일본어 발음이 같다.

◆슈바인 : 이번에는 아처냐고!

◆코로 : 숲속이다. 쫓자.

바츠와 코로가 숲속으로 뛰어들었다.

나도 쫓으려고 앞으로 나선 순간― 이번에는 뒤에서 마법이!

◆고양이공주 : 냐아아아아앗!

◆아코 : 고양이공주 씨가 얼었어요!

◆루시안 : 상태이상 해제를!

◆아코 : 하웃!

◆세테 : 아코도 얼어버렸어!

힐러 두 사람이 얼었어! 움직이지 못하고 풀지도 못해!

◆애플리코트 : 빙결효과는 얼음마법인 아이스 코핀. 이게 왔다는 뜻은.

빙결상태가 되면 방어구 속성에 상관없이 수속성으로 고정된다.

그건 즉―.

◆고양이공주 : 다음은 번개가 온다냐!

◆루시안 : 아코, 사랑해!

◆루시안 : 『너를 놓지 않겠어!』

무심결에 결혼 스킬을 쓰자 아코와 나를 잇는 붉은 선이 연결됐다.

직후 하늘에서 엄청난 벼락이―.

◆고양이공주 : 냐아앗!

◆루시안 : 아파아아아앗!

고양이공주 씨가 죽고, 내 루시안이 마비됐다!

아코의 대미지를 대신 받아낸 만큼 나도 반죽음 상태가 되었다.

◆너구리 약사 : 저기 로브 입은 녀석이다구리! 쫓자구리!

◆세테 : 안 돼! 뿔뿔이 흩어지면 사망자가 더 늘어날 거야!

큰일이 벌어졌어!

◆아코 : 우우우, 호되게 당했어요.

◆세테 : 실컷 당하기만 했네.

◆애플리코트 : 곤란하군. PK가 이렇게나 성가실 줄이야.

반파된 파티를 재정비한 뒤 우리는 작전회의에 들어갔다.

◆루시안 : 그보다 어쌔신에 아처에 위저드잖아. 그 녀석, 캐릭을 몇 개나 갖고 있는 거냐고.

◆슈바인 : 게다가 전부 고레벨이었지.

PK가 너무나도 굉장했다. 저걸 어떻게 죽이라는 거야.

◆바츠 : 그럼 어쩔까ㅋ

넌 왜 그렇게 즐거워하는데.

◆애플리코트 : 함정에 빠트릴까.

마스터가 그렇게 말하며 맵 위에 마커를 달았다.

◆애플리코트 : 노리기 쉬운 힐러와 원거리를 여기에 두고, 쏘기 쉬운 이 거목 부근에 유윤이 스텔스 상태로 숨어서 찾

아온 녀석을 기습하는 거다.

◆세테 : 그렇구나!

설령 원거리 공격이 오더라도 즉사만 하지 않는다면 탱커 두 사람이 어느 정도 막을 수 있다.

◆†검은 마술사† : 그럼 그걸로 가자.

◆유윤 : 오케이. 숨어있을게.

그 자리에서 스텔스 상태로 들어간 유윤이 신중하게 포지션으로 이동했다.

◆유윤 : 준비 오케이~.

◆슈바인 : 나머지는 오는 걸 기다려서 기습이구만.

◆애플리코트 : 설령 걸리지 않더라도 이름만이라고 확인해서―.

그렇게 이야기할 새도 없는 타이밍에 쿠구구구구 하고 왠지 익숙한 효과음이 들리기 시작했다.

◆바츠 : 오?

◆루시안 : 이거, 미티어 마법진?

◆슈바인 : 마스터…… 는 아닌데.

그렇다면―.

◆유윤 : 뭐, 뭔 짓거리야아아아아아아.

◆세테 : 우와~.

스텔스하고 있던 곳에 핀 포인트로 착탄한 미티어 스트라이크가 유윤을 깔끔하게 날려버렸다.

오오, 전부 들켜버렸네.

◆아코 : 이건…….

◆루시안 : 이제 틀린 것 같아…….

한때는 파죽지세였던 PKK 파티에 암운이 드리워졌다.

††† ††† †††

◆애플리코트 : 슬슬 저녁식사 시간이다. 일단 휴식하기로 할까.

그렇게 해서 일단 시간을 벌기로 했다.

"우와, 벌써 바깥이 어두워졌어."

"점심도 안 먹었었네. 깨닫지 못할 정도로 집중하고 있었어."

"저렇게나 효율이 좋으면 약간의 공복은 참을 수 있으니 말이다."

다들 파티를 빠져나가기를 원하지 않다보니 좋은 파티일수록 오래 이어진다.

"그만큼 레벨은 올라갔네."

"응. 나는 이미 레벨 99가 됐어."

"너는 죽지 않았으니까 좋겠네. 나는 몇 번 죽었으니까…… 그럼에도 엄청 올랐어! 남은 경험치 312,875,402!"

"단숨에 줄어들었네!"

"페인들을 데리고 하는 사냥이 이렇게나 짭짤할 줄은 몰랐어……."

사냥에 전혀 의욕을 내지 않는 아코가 나름대로 우리를 따라올 수 있는 이유도, 무슨 영문인지 가끔 폐인들의 원정 사냥에 끼어들어간 덕분이니까.

"무땅의 레벨도 올랐어~."

"세테 씨도 10 정도 올랐네."

거의 파워 레벨링처럼 되었는데.

"PK만 없었다면 좀 더 올랐겠지?"

"상당히 휘둘렸으니까."

중간에 몇 시간 정도는 PK 대응에 쫓겨서 거의 경험치를 올리지 못했다.

자주 죽은 멤버에 이르러서는 조금 줄었을지도 모른다.

"설마 그렇게나 농락당할 줄은 몰랐어."

"단독범의 힘이로군. 인원이 많다고 암살자 한 명에게 이길 수 있는 건 아니다."

"살인귀에게는…… 이길 수 없었어요……."

아코가 후냐앗 하고 쓰러졌다.

"죽어서 어쩔 거야."

못 쓰겠다며 어깨를 으쓱한 세가와가 아코를 일으켜 세웠다.

"으~음. 지쳤다냐. 선생님은 목욕탕에 들어갔다 올 테니까 다들 먼저 식사를 해도 좋다냐."

"네~."

고양이처럼 기지개를 켠 선생님은 대목욕탕으로 향했다.

고양이공주 씨, 온천을 좋아하는구나.

"……눈, 그치지 않네."

세테 씨가 창밖을 바라봤다.

어둠 속에서 바람이 휘몰아치는 소리가 들리고, 눈덩어리가 유리에 부딪칠 때마다 둔탁한 소리가 났다.

퍽, 퍽, 하는 기분 나쁜 소리는 눈에 보이지 않는 무언가가 눈보라 속에서 부르는 듯한— 그런 소리로도 들렸다.

"……왠지 무섭네."

"눈보라 자체가 익숙하지 않으니까."

"……그러네요."

아코는 몸을 약간 떨고는 깊은 어둠에서 눈을 돌렸다.

"그럼 식사 준비할게요."

주방에 오자 아코는 마음을 다잡듯이 말했다.

"뭘 만들 건데?"

"오늘은 모두 둘러 앉아 전골 요리를 먹으려고 한다."

"전골! 좋네, 추우니까."

"좋~았어, 나도 도와줄게."

"엑."

세가와가 팔을 걷어붙이자 아코가 힘차게 돌아봤다.

"왜 그래? 전원 몫의 재료를 준비하는 거 힘들잖아?"

"괜찮아요! 문제없어요! 혼자라도 멀쩡하니까요!"

"사양하지 마라. 아코 군. 우리는 동료 아니냐? 서로 도와야지."

"그 마음은 다른 곳에서 부탁드릴게요!"

아코는 붕붕 고개를 내저었다.

나도 그만둬줬으면 하지만, 의욕이 넘치는 두 사람을 억지로 만류하는 것도 좀 그랬다.

"그, 그치만, 정말로 괜찮거든요. 재료는 어제 미리 준비해놨으니까요!"

"에엑. 그랬었어?!"

"전골이라는 건 알고 있었으니까 미리 해두는 게 편할 것 같아서요!"

이거 보세요, 라며 아코가 냉장고를 열자 확실히 다듬어진 재료가 들어있었다.

대체 언제 했던 건지는 모르겠지만 제대로 준비를 해놨던 모양이다.

"정말. 이렇게 안 해도 되는데."

"맡기기만 해서 미안하다."

"아뇨아뇨. 신경 쓰실 필요 없어요! 그릇하고 가스레인지만 옮겨주세요!"

아코는 명백하게 안심한 표정으로 말했다.

좋아. 이걸로 두 사람의 요리 참가는 회피했어!

나이스, 아코. 파인 플레이였어!

엄지를 척 세우자 아코도 엄지를 세워 화답했다.

그리고 식탁에서 기다리기를 잠시…….

"다 됐어요~."

아코가 커다란 냄비를 들고 왔다.

"우와아, 향긋한 냄새!"

"게! 이거 게야?! 게지?! 정말로?!"

"네. 게 전골이에요!"

"오오, 호화롭네."

냄비 안에는 산더미처럼 쌓인 게뿐만 아니라 배추와 대파, 두부에 표고버섯, 송이버섯 등 수많은 건더기들이 정말로 맛있는 냄새를 풍기고 있었다.

점심을 걸렀기 때문에 조금 전부터 배가 고파서 견딜 수가 없었다.

"……근데 왜 참가비 3천 엔인 합숙에 게가 나온 걸까?"

"그것에 관해서는 마스터를 경배하면 되는 거 아냐?"

"감사합니다."

"감사합니다~."

"경배할 필요는 없다. 그냥 남은 거니 말이다."

대체 어느 가정에서 게가 남는다는 거야.

본인이 한 말이니까 신경 쓰지는 않겠지만, 마스터의 의기양양한 얼굴에 일단 경배해두자.

"저기, 이제 익은 거지? 먹어도 되지?"

"얼마나 게에 굶주린 거야. 세가와. 선생님 아직 안 오셨다고."

"하지만 고양이공주 선생님, 목욕탕에서 안 나오잖아."

"먼저 먹어도 된다고 하셨고요."

"그럼 사이토 교사에게는 미안하지만, 먼저 먹기로 할까."

마스터는 우리를 둘러보더니 스윽 눈을 감고 양손을 맞댔다.

"그럼 다들 손을 맞대고— 잘 먹겠습니다."

"잘 먹겠습니다~."

모두 배가 고팠던 건지 만면에 미소를 지으며 냄비로 젓가락을 뻗었다.

나는 다들 가져가고 난 뒤라도 괜찮겠지.

"우후후후, 게! 게!"

특히 세가와가 엄청난 기세로 게를 가져가니까 자칫하면 젓가락이 부딪칠 것 같기도 하고.

"게로 텐션이 너무 올라간 거 아냐?"

"그러는 너도 게에서 시선이 움직이지 않잖아."

"당연하지. 게라고!"

"그러네. 게니까!"

"이상할 상황에서 사이가 좋네. 아카네랑 니시무라……."

무슨 실례되는 소리를. 우리는 대체로 언제나 사이가 좋단 말씀.

"루시안. 제가 담아드릴게요."

"아, 고마워."

기다리고 있는 나를 알아챘는지 아코가 바지런히 그릇을 손에 들었다.

"루시안은 잘 못 먹는 음식 없죠?"

"전골 건더기 중에서는 없지."

"그럼……."

냄비에서 대파를 집어든 그때, 아코의 움직임이 멎었다.

"왜 그래?"

"……잊고 있었어요."

"뭐를?"

"루시안! 저희는 부부인데 중요한 일을 하지 않았어요!"

"그러니까 뭐를?!"

무슨 이야기인지 모르겠어!

아코는 젓가락으로 대파를 집은 채 혼란에 빠진 나를 빙글 돌아봤다.

그리고 손을 파 아래에 대고는 헤실 웃으면서 말했다.

"자요. 아~앙."

"저기, 아코?"

"아~앙."

아~앙이고 자시고! 잊고 있었다는 게 이거였냐!

확실히 한 적 없긴 하지만, 그건 전골 먹으면서 하는 게 아니야! 냄비에서 꺼낸 대파를 그대로 먹어봤자 그다지 맛도 없다고!

"아~앙이고 자시고, 그냥 평범하게 건네주면 되거든?"

"아~앙, 이에요!"

"딱히 싫은 건 아니니까 또 다음 기회에……."

"아~앙!"

"우거거거걱!"

내가 설명을 하려고 했는데 그대로 입에 쑤셔 넣었어!

우왓, 뜨거워! 엄청 뜨거워! 입속이 탄다고!

"후왓, 아훗! 뜨거! 뜨거어어어어어어!!!"

"어라? 루시안, 왜 그러시나요?"

"너, 냄비에서 꺼낸 그대로 니시무라의 입에 집어넣었잖아. 엄청 뜨거운 거 아냐?"

"아아앗! 물, 물!"

"뜨거어어어어어어."

대파 안에서 전골 국물이 나와서 더 뜨거워! 지옥이냐!

"니시무라, 풋…… 후후…… 괘, 괜찮아?"

"크…… 화상은 위험하다…… 크크큭……."

두 사람 모두 참고 있지 말고 그냥 솔직하게 웃어!

"다, 다음에는 후후 불어드릴게요! 후후 하고!"

"이제 됐으니까 그냥 먹게 해줘……."

"우우우, 죄송해요!"

화 안 났어. 화 안 났으니까. 그러니까 나도 게 좀 먹어보자.

"한 번도 『자, 아~앙』을 해본 적이 없는 것에 놀라서 그만, 저지르고 말았어요……."

"듣고 보니 한 번도 안했었네."

첫 체험은 뜨겁고 따가워서 쑥스러움이고 뭐고 없었지만.

"그러고 보니 모두 함께 같이 밥을 먹은 적이 적긴 하네."

"늦게까지 외출한 적도 없고, 점심은 언제나 따로 먹으니까."

"나와 아코 군은 자주 학생회실에서 먹고 있다만?"

"루시안하고 슈도 오면 좋을 텐데요."

"나한테는 우리 반에서의 교제도 있다고."

"나도 마찬가지야."

오히려 두 사람은 반 친구들하고 함께 먹지 않아도 괜찮은 거냐고 묻고 싶었지만— 아니, 응. 미안.

"평범하게 밥을 먹는 것보다 전골이라 그런지 거리가 가까워진 것 같아서 좋네. 한솥밥을 먹는다는 느낌."

아키야마도 싱글벙글 웃으며 말했다.

"아키야마는 이런 적 자주 있는 거 아냐?"

"그러게요. 리얼충은 전골팟 같은 것도 있잖아요?"

"아냐. 나도 전골팟 같은 건 전혀……."

그렇게 말하려던 아키야마가 우뚝 멈췄다.

"……왜 그러시나요?"

"그, 그게……."

기쁨과 슬픔과 놀라움과, 그리고 약간의 체념의 감정이 뒤섞인 얼굴로, 그녀는 중얼거렸다.

"……한순간이지만, 전골팟은 무슨 편성인 걸까? 라는 생각을 하고 말았어."

"발상이 우리랑 똑같아졌어!"

저 리얼충의 화신이었던 그녀도 드디어 여기까지 온 건가!

"해냈네요, 세테 씨! 성장했어요!"

"성장이라기보다는, 침식이 진행되었군!"

"물들고 있네, 나나코."

"아니야. 한순간, 한순간뿐이라니까!"

허둥대면서 양손을 휘두르는 아키야마를 따스하게 바라봤다.

동료라면 이래야지!

자, 입속 아픔도 가셨고, 나도 먹자, 먹자.

"…………."

"…………."

"………………."

"……아니, 묵묵히 게를 먹고 있으니까 대화가 사라졌잖아!"

"아, 죄송해요. 집중해서 먹고 있었어요."

"게가 눈앞에 있으니까 그만. 그치?"

아코와 아키야마는 겸연쩍은 듯이 말했지만 마스터는 내 목소리도 깨닫지 못한 채 게 다리와 격투를 벌이고 있었다.

"시끄럽네. 잠자코 먹으라고."

세가와는 이미 게밖에 안 보이는 상태였다!

"그보다 너, 너무 게만 먹고 있잖아."

"실례네. 제대로 모두의 몫은 남겨놓고 있어!"

그 걱정을 하고 있는 게 아니라, 세가와의 그릇 안에 게만 들어있다는 소리인데.

"게라면 아직 있으니까 니시무라도 먹어. 나중에는 맛이 떨어진다고."

자, 어서, 라며 내 그릇에도 게를 넘겨주었다.

덤으로 채소가 퐁퐁 투입되었다.

"고, 고마워…… 그럼 나도 먹, 겠지만……."

먹지만. 먹을 테지만—.

이거, 세가와가 쓰던 젓가락으로 그대로 집은 거 아냐?

괜찮아? 이거 내가 먹어도 돼?

뭐랄까, 간접 어쩌고라든가, 그런 거 신경 쓰지 않아도 되는 거야?

세가와만이 아니다. 다들 자기 젓가락으로 냄비에서 건더기를 가져가고 있는데, 내가 함께 먹고 있어도 문제없어? 의식하는 내가 이상한 건가?

"안 먹어요? 루시안. 맛이 없나요?"

"아니아니, 맛있어. 근데 조금……."

아코를 바라보니 마침 젓가락을 입에 물고 있었다.

방금 내 입에 넣었던 젓가락이.

아코 입속에—.

"…………응? 루시안?"

"미안. 아무것도아냐아무것도아냐!"

신경 쓰지 말자, 신경 쓰지 말자!

마지막 합숙에서 모두 함께 전골을 먹는다는 근사한 이벤트인데 나만 이상한 생각을 했다간 곤란하잖아!

그렇게 생각하며 젓가락을 옮겼지만…….

역시 긴장이 돼서 중간부터 맛을 잘 알 수가 없었다.

"고양이공주 선생님. 안 오네."

"목욕탕을 좋아하시네요."

식탁에 나타나지 않은 고양이공주 씨의 몫을 남겨둔 채 먼저 정리를 해두기로 했다.

준비는 아코가 열심히 해줬기 때문에 뒷정리는 우리 담당이다.

"실은 인솔이 아니라 그저 온천에 들어가고 싶어서 왔던 게 아닐까?"

"어쩔 수 없지. 사이토 교사에게는 마지막 휴가다. 얼마 전에도 이야기했지만, 봄부터는 교사의 일도 늘어나니 말이다."

"유이 선생님도 큰일이네~."

"그래도 온라인 게임은 할 것 같지만."

한 번 그만두고 나서 다시 복귀했다면 이제 그 게임에서는 벗어날 수 없다는 것이 패턴이니까.

그런 생각을 하면서 냄비를 씻고 있는데, 문득 주방 전등이 깜빡였다.

"어라, 또 정전……은 아니겠지?"

"전기는 돌고 있는 모양이다만, 불안정하군."

"변함없이 눈이 엄청나니까."

"그런 말 하지 마. 컴퓨터 망가져버리잖아."

세가와가 깜빡깜빡 점멸하는 불빛을 짜증나게 올려다봤다.

"아까는 낮이어서 다행이었지만, 밤에 전기까지 끊어지면 정말 무섭겠다."

"완전히 호러 게임이네요!"

"나 호러겜은 무리거든? 오빠— 오라비가 거실에서 하고 있었는데, 효과음만으로도 정말 무서웠어."

말을 고치지 말고 그냥 오빠라고 해도 될 텐데.

그때 세가와가 의아한 듯이 말을 했다.

"……어라? 식칼이 이것밖에 없었던가?"

다 씻은 식칼을 정리하려다가 텅 빈 찬장을 보며 고개를 갸웃했다.

살펴보니 확실히 식칼이 적었다. 아니, 하나밖에 없었다.

"식칼이 이것밖에 없었어?"

"어제는 엄청 많았는데, 사라져버렸네."

"곤란하네요. 하나밖에 없으니 내일 아침밥도 저 혼자 만들어야겠어요."

아코가 싱긋 웃으며 말했다.

"그런 문제가 아니라. 이상하잖아, 어제는 그렇게 많았는데."

"하지만 없잖아요."

"없다니…… 왜 없는 건데?"

"글쎄요……?"

"흠. 어제 설거지 뒤에 어떻게 했는지 기억나?"

"제대로 원래 있던 곳에 돌려놨는데요."

어젯밤 요리를 했던 세 사람이 어리둥절하게 서로를 바라봤다.

"오늘은 묘한 일이 많은 날이었는데…… 식칼이 없어졌다는 건 조금 무섭네."

"날붙이다. 역시 웃을 일은 아니지."

"확실히 어제는 일곱 자루 있었고, 지금은 하나밖에 없으니까, 여섯 자루가 사라진 거지?"

"한 사람당 하나씩이라는 느낌이네."

세가와가 조금 새파래진 얼굴로 말했다

"……뭐가?"

"우리 여섯 명을 찔러 죽이려면 딱 맞는 숫자잖아."

"……화, 확실히. 딱 맞네?"

"아니아니, 무서운 소리 하지 마."

고개를 휙휙 내젓던 나에게 아키야마가 조금 떨리는 목소리로 말했다.

"여기에도 살인귀가 있다거나……."

"그런 바보 같은 이야기가 있을 리가 없잖아."

하하하, 하고 웃었다.

"……."

"…………."

말이 없어진 우리를 눈보라 소리가 감쌌다.

그때, 다시 주방 불빛이 깜빡여서 모두가 움찔 하고 몸을 떨었다.

"……설마, 설마 아니겠지."

"그거야말로 설마잖아."

얼버무리듯이 웃었지만 아무래도 불길한 예감이 가시질 않았다.

"……눈보라 때문에 바깥으로 나갈 수 없으니까요."

"그, 렇군."

"스노보드로 도망치려고 해도, 보드는 사라졌고."

"보드가, 없다고?"

"……쿄우 선배가 정리한 거 아니었어?"

"반납하려고 해도 일단 건조실에 놔두는 법 아니냐."

"어, 그럼 보드는……."

"게, 게다가 인터넷 회선도 없어졌었잖아?"

"그, 그랬지."

"이 별장, 외부 연락 수단은……."

"인터넷 회선이 끊어지면 전부 두절된다."

"그리고 식칼은, 없어졌어."

"음."

"……."

………….

"아니아니아니."

"아니아니아니아니."

하하하하하, 하고 필사적으로 웃음을 쥐어짜낸 우리는 서로의 어깨를 두드렸다.

그런 말도 안 되는 일이 있을 리가 없지. 우리도 참, 대체 무슨 생각을 하는 거야.

"설마 아니라고는 생각하지만, 일단 한번 확인해 보자! 문단속을 하지 않으면 위험하니까!"

"그러네! 아, 현관 보고 오자! 차만, 차만 있으면 일단은 도망칠 수 있으니까!"

누구로부터 도망치기 위해서인지는 일부러 입 밖으로 꺼내지 않은 채 우리는 현관으로 향했다.

현관문은 확실히 열쇠가 잠겨 있어서 일단 안심했다.

하지만 안심한 것도 잠시—.

"어, 어라?"

세가와가 감정이 빠져나간 목소리로 현관 옆에 있는 키 케이스를 가리켰다.

"여기에 차 열쇠 놓여 있었지?"

"고양이공주 씨가 거기 놔뒀었는데?"

"……없는데?"

"어?"

다른 열쇠는 그대로 남아있건만.

차 열쇠만, 없었다.

"아, 고양이공주 선생님이 갖고 있는 거 아냐? 그렇겠지?"

"아냐. 정전됐을 때 선생님도 열쇠가 없었다고 했었던 기억이 나."

"……확실히."

그런 말을 했었던 기억이 난다.

그렇다면, 정말로 차 열쇠도 없다는 건가?

"이건, 조금……."

"거짓말…… 그렇지? 거짓말이지?"

아키야마가 곤란한 표정으로 우리를 돌아봤다.

전원 조용히 고개를 내저었다.

진짜로 하는 소리야? 거짓말이지?

"『오마이타치의 밤』인가요?"

아코가 슬그머니 중얼거렸다.

확실히, 너무나도 비슷한 시추에이션이었다.

"……『오마이타치의 밤』에서는 전멸 엔딩도 있었지."

마스터가 그렇게 말한 것과 동시에 현관 바깥에서 눈이 우수수 떨어지는 소리가 났다.

문 바깥에서는 눈이 쌓이고 있으니까 억지로 탈출할 수는 없을지도—.

"찾자!"

짝! 하고 크게 손뼉을 친 세가와가 힘차게 말했다.

"이런 말도 안 되는 일이 있을 리가 없어. 어딘가에 차 열쇠가 있을 거야."

"그, 그렇지."

그렇겠지? 이건 그냥 우연이겠지?

"응. 샅샅이 뒤지면 나올 거야!"

"그럼 나눠서 찾아볼 건가?"

마스터가 그렇게 말하자 다들 잠시 입을 다문 뒤에—.

"모, 모두 함께 가자."

"그래. 못보고 지나치기라도 하면 위험하니까."

"음. 그, 그래야겠군."

"게다가…… 혹시나, 혹시나 말인데. 침대 밑에 살인귀라도 있으면…… 전원 모여서 가는 편이……."

"…………."

"…………."

"설마~."

아하하 하고 웃으면서 전원이 내게 시선을 보냈다.

"어, 왜?"

"왜고 자시고…… 탱커인 네가 선두에 서서 가야지."

"고기방패냐!"

여자아이 뒤에서 숨을 생각도 없었지만!

아무리 그래도 설마 그런 위험한 일이 있을 리가 없지.

아니, 하지만…… 흉기가 없어지고, 탈출수단이 없어지고, 외부로 통하는 연락수단까지 끊어질 뻔했으니까…… 진짜로……?

우리는 조심조심 한 방씩 둘러봤다.

거실에는 아무도 없었다. 주방도, 유희실도.

현관이나 건조실도 OK.

2층 객실도 돌아봤다.

"우리 방에는…… 아무도 없네."

방문을 열자 여자아이의 향기가 새어나왔다.

하룻밤 묵었을 뿐인데 용케도 이렇게 공기가 변한다니까.

"야, 너는 안 볼 거야?"

"예이예이."

1호실에는 아무것도 없었던 모양이다.

2호실도, 3호실— 선생님 방에도 아무도 없었다.

"나머지는 네 방 쪽이네."

"그러네."

내 방, 6호실에도 아무도 없었다.

남의 가방 속까지 뒤지는 건 뭔가 싶지만…….

"나머지는 빈 방이로군. 4호실과 5호실은 아무도 쓰지 않았다."

"그러네. 남자는 니시무라 뿐이니까."

—앗.

5호실. 나랑 아코가 썼잖아.

이런, 말해야 한다고 생각한 것과 동시에 5호실 문이 열렸다.

"잠깐, 누가 5호실 안쪽 침대를 쓴 흔적이 있는데?!"

"우왓, 정말로?"

"그렇다면, 어제 시점에서 누군가가……?"

이런, 완전히 착각하고 있어.

"……."

"…………."

아코와 얼굴을 마주 봤다.

어쩌지. 말하는 편이 낫지 않을까?

하지만 이거, 내가 썼다고 말해버리면, 나랑 아코가 같이 있었다는 게 들키겠지?

그렇다고 말하지 않는 것도 문제다…… 다들 착각을 하고 만다.

하지만 뭐, 이건 넘어가더라도 다른 이상사태는 짐작 가는 게 없었다.

그럼 정말로 누군가가? 아니, 설마…… 하지만 커다란 별장이니까 도둑이 들어도 이상하지 않고…….

선불리 말했다가 그럼 문제없다, 안심이다! 라는 흐름이 될 바에는 위기감을 갖고 진지하게 대처하는 편이 낫지 않을까?

"이거 진짜로 위험한 거 아냐?"

"살인귀? 진짜로?"

"흉기를 확보하고 있다는 게 위험하군."

"아니아니. 탈출수단이 없는 게 위험하잖아."

"바깥과 연락할 수 없도록 했다는 소리는, 우리 전원을……?!"

등골이 오싹 차가워졌다.

이, 이럴 때 도움이 되는 사람은— 마, 맞아!

"선생님은? 선생님은 어떻게 된 거야?"

"고양이공주 선생님한테 물어보자!"

"맞아! 유이 선생님한테 보고해야지!"

우리는 서둘러 대목욕탕으로 향했다.

혹시 선생님이 이미 살해당한 게 아닐까— 라고 생각했지만, 그렇지는 않았다.

『침입자? 날붙이를 가진 살인귀?』

목욕탕에서 울리는 목소리가 확실히 들렸다.

『그런 게 있을 리가 없다냐. 다들 왜 그러는 건가냐?』

"그치만 선생님, 우리 차 열쇠가—!"

"식칼도 사라졌어!"

"보드도 없고!"

"바깥과 연락하지 못하도록……."

"어젯밤 누군가가 침입한 흔적이 말이죠—."

『괘~앤찮다냐. 다들 온라인 게임을 너무 많이 한 탓이다냐.』

선생님은 냐냐냐 하고 웃으며 첨벙 물소리를 냈다.

『선생님은 조금 더 느긋하게 있을 거다냐. 먼저 자도 된다냐.』

이 사람, 들어줄 생각이 전혀 없잖아.

"우리를 반드시 지켜준다고 말했던 주제에!"

"여차할 때는 도움이 안 되네요!"

"오히려 유이 선생님이 제일 위험한 게 아닐까?"

듣고 보니 확실히…….

"이럴 때 남의 말을 듣지 않고 단독행동을 하다니……."

"틀림없이, 사망 플래그네요."

"그, 그럼 역시."

"음. 애석하지만……."

마스터는 침통한 듯이 가슴을 눌렀다.

"첫날 희생자는, 사이토 교사다……!"

"고양이공주 씨가 무참한 모습으로 발견되겠네요."

"아까운 사람을 잃었네……."

"어쩔 수 없어. 저렇게 죽기를 바라는 듯이 플래그를 세우니까—."

거기서 문득 세가와가 뭔가를 깨달았다는 듯이 크게 손을 벌렸다.

"마, 맞아! 여기는 내게 맞기고 너희는 먼저 가! 반드시 쫓아갈 테니까!"

"갑자기 뭘…… 앗?!"

그, 그렇구나! 사망 플래그에 대항하는 생존 플래그!

"크…… 해, 해치웠나?!"

"그건 최강 클래스의 생존 플래그! 꽤 하네, 니시무라!"

"죽일 거라면 빨리 죽이세요! 목숨을 구걸할 생각은 없습니다!"

"그렇게 말한 녀석은 좀처럼 죽지 않아! 잘 했어, 아코!"

"우리가 죽을 확률은 99퍼센트 이상…… 그러나, 나는 포기하지 않는다!"

"1퍼센트라도 확률이 있다면 그것은 100퍼센트! 역시 마스터야!"

다들 생존 플래그를 세웠어!

자, 나머지는 아키야마 뿐이야!

"에, 에에, 에에엑?! 다들 무슨 소리 하는 거야?!"

"나나코, 빨리 생존 플래그를 세워야 해! 늦었다간 죽어!"

"생존 플래그가 뭔데?!"

"그걸 말하면 생존하는 플래그가 되는 발언이야! 자, 빨리!"

"그, 그치만, 그렇게 의식적으로 말하면 플래그가 부서지지 않을까?"

"거기서 태클을 걸면 안 돼!"

우리의 생존 플래그가 전부 박살나버렸어!

"모처럼 세운 플래그가……."

"그런 걸 의지하면 안 돼! 자력으로 살아남아야지!"

하, 하긴 그렇지.

플래그만으로 살아남는다면 아무도 고생하지 않는다.

"그럼 이제 어쩌죠?"

"어디 보자…… 가장 안전한 작전으로 가자."

세가와가 핏발 선 눈으로 말했다.

"전원이 모두 틀어박히는 거야."

"어디에?"

"그야 외부와의 연락수단이 있는 방이지."

"컴퓨터실인가."

입구는 하나인데다 방도 넓다. 확실히 틀어박히기에는 좋은 곳이었다.

"좋아. 그곳에서 모두 함께 밤을 보내자."

"살아남자. 우리들."

응, 하고 전원이서 손을 맞잡았다.

마지막 합숙일지도 모르는데 설마 이런 일이 벌어지다

니…….

나는 살아남겠어! 살아서 아코와 얼싸안을 거야!

††† ††† †††

◆슈바인 : 만약 우리한테서 연락이 두절되면 반드시 경찰을 불러줘.

◆바츠 : 대체 무슨 상황인데ㅋ

◆루시안 : 농담으로 하는 소리가 아니란 말이지.

◆세테 : 고, 곤란하네.

세테 씨도 이번에는 식은땀을 흘리고 있었다.

이럴 때가 아니잖아! 라고 물으면 확실히 이럴 때가 아니지만, 우리는 착실하게 로그인을 하고 있었다.

그치만 눈앞에 컴퓨터가 있으면 로그인하고 싶어지잖아. 어쩔 수 없다고.

그리고 만에 하나라도 잘 수는 없으니까 깨어있기 위해 노력해야지.

◆슈바인 : 자, 휴식은 끝이야. 그 PK놈을 붙잡자고.

◆애플리코트 : 음. 절대로 놓치지 않겠다.

◆아코 : 체포에요, 체포!

◆†검은 마술사† : 갑자기 의욕이 넘쳐나는데ㅋ

그야 뭐, 절실함이 다르니까!

◆†클라우드† : 어라? 고양이공주 씨는?

◆슈바인 : 그 사람은 죽었어.

◆루시안 : 이젠 없어.

◆아코 : 하지만 저희의 가슴속에서 살아가고 있어요!

◆유윤 : 고양이공주 씨한테 무슨 일이 벌어진 거야?!

확정적으로 최초의 희생자입니다.

그 사람이 죽으면 시보[#8]겠지.

"좋아. 이렇게 되면 적어도 LA의 살인귀만이라도 잡아주겠어."

"현실 쪽도 붙잡아야 한다고 생각한다만."

"혀, 현실에는 살인귀 같은 거 없거든?!"

"설마 있을 리가 없잖아요!"

말은 그렇게 하면서도 힐끔힐끔 문을 바라보는 건 그만두자.

내 바로 뒤에 있단 말이야. 엄청 무섭거든?!

"그런데 PK를 어떻게 잡을 거야?"

"아까 전에 상대가 썼던 얼리는 기술, 아무도 못 써?"

"아이스 코핀 말이냐. 나는 퍼펙트 블리자드를 쓸 수 있을 정도밖에 올리지 않았다. 설령 맞추더라도 성공률은 20퍼센트 이하겠지."

"그럼 니시무라의 스턴에 의지해야겠네."

"다른 방법은 없는 거야? 이 길드, CC 가능한 녀석이 너

#8 시보(時報) 연쇄 살인 사건에서 가장 먼저 죽어서 사건의 시작을 알리는 사람을 비유하는 말.

무 없잖아."

"일단 아이스 볼트는 노려보겠다만, 직사 스킬이다. 기대는 하지 마라."

발을 묶는 스킬 정도라면 모든 직업에 있으니까 익혀두면 좋잖아.

◆루시안 : 그런고로 기본은 스턴을 노려서 가겠습니다.

◆바츠 : 그랬는데 탱커가 먼저 당하면 웃기겠네ㅋ

◆루시안 : 괜찮다고. 처음부터 탱커를 노리는 일은 일단 없으니까.

그러니까 이런 필드라면 대부분 살아남는다. 조금 미안하다.

◆너구리 약사 : 구리~, 루시안. 그건 방심이다구리.

◆루시안 : 괜찮다니까요ㅋ

◆너구리 약사 : 구리…….

그렇게 웃고 있는데 갑자기 너구리 씨의 움직임이 나빠졌다.

버프는 걸어주고 있지만 공격 지원이 느려졌고, 이동이 왠지 딱딱했다. 왜 저러지? 렉 걸렸나?

◆루시안 : 너구리 씨? 괜찮나요?

◆너구리 약사 : 괜찮다구리. OK다구리.

뭐가 OK인지는 모르겠지만 OK라고 한다.

그렇게 대화를 나누고 잠시 뒤.

약간 안쪽 나무 그늘에서 쿵! 하고 뭔가의 공격음이 들렸다.

◆슈바인 : 뭔가 있는데.

◆†클라우드† : 누군가가 몹을 잡고 있는 게 아닐까?

◆루시안 : 그러네.

PK라면 소리를 내지 않을 거라면서 긴장을 푼 순간, 소리가 난 쪽에서 달려오는 그림자가 보였다.

◆루시안 : 아니, 이리로 오는데?!

그것도 엄청난 속도다. 제지할 틈도 없이 우리 파티를 향해 다가왔다.

겉모습은 몽크 같지만, 이름은 아직 표시되지 않았다!

◆루시안 : 에잇, 내가 막으면 되잖아!

누구를 노리는 건지는 모르겠지만 내가 고기방패가 되겠어. 그렇게 결심하고 커버에 들어갔다.

어차피 나는 노리지 않아. 옆을 빠져나가는 순간에 맞춰서 스턴을 걸겠어!

―라고 생각했는데.

아 수 라 봉 황 각 !

이런 커다란 글자 이펙트가 나오며 칭칭치~잉 하는 슬픈 소리가―.

◆루시안 : 우와아아앗, 내가 죽었어! 즉사했어!

탱커인데! 튼튼함과 HP만큼은 자신이 있었는데!

◆슈바인 : 즉사 평가 상승이네ㅋ

◆루시안 : 말도 안 돼. 한 방에 죽을 거라고는 생각도 못했어.

◆아코 : 어째서 루시안이?!

◆너구리 약사 : 방심했으니까 그렇다구리!

너구리 씨가 으스대며 말했다.

◆루시안 : 확실히 방심했어…… 설마 콤보를 아슬아슬할 때까지 쌓아두고 피니시인 아수라만 때려 박을 줄이야…….

어딘가에서 콤보 999 정도까지 쌓아놓은 뒤에 콤보를 유지하면서 내가 있는 곳까지 와서 피니시만 때려 박았다.

그 노력을 다른 곳에 쓰라고, 라고 생각할 정도로 뜨거운 PK였다.

게다가 그 몽크는 아수라의 무지막지한 이펙트에 섞여서 도망쳐버렸다.

◆†검은 마술사† : 재미있는 방법으로 오네ㅋ

◆루시안 : 웃을 일이 아니라고요!

◆세테 : 재미있었는데ㅋ 루시안이 날아가서ㅋ

젠장. 리플가를 써둘 걸 그랬어…… 같이 죽을 수 있었을 텐데…….

설마 나한테 오리라고는 생각도 못했기에 방심했다.

◆슈바인 : 루시안조차 죽었어. 우리들 중 누가 죽더라도 이상하지 않아.

하지만, 이라며 슈바인이 강하게 말을 이었다.

◆슈바인 : 우리의 목숨을 걸고서라도 질 수는 없어. 이렇게 되면 숫자로 승부하자. 미친 듯이 함정을 깔아서 붙잡자고.

호~오. 함정이라.

슈바인은 도적 직업인 유윤에게 말했다.

◆슈바인 : 유윤. 어쌔신이라면 함정 만들 수 있잖아. 주변에 마구 뿌려. 정말로 미친 듯이 뿌리라고. 설치 함정의 돈은 나중에 부담해줄 테니까.

◆유윤 : ㅇㅋ, 마구 뿌릴게.

슬며시 숲속으로 들어간 유윤이 함정을 설치하기 시작했다.

"한 번 멋지게 해치웠으니까 여기서 기다리고 있으면 두 번째 상대를 노리러 올 게 분명해. 여기서 끝내겠어. 멋지게 해결하고 현실 살인귀도 함정에 빠트려 주는 거야."

"온라인 게임을 발판으로 삼지 마."

실패하면 어쩔 거냐고.

"하지만 이렇게 함정이 뿌려져 있으면 어딘가에 걸리지 않을까?"

화면 위에 표시된 맵에 함정의 붉은 점이 점점 늘어났다.

아무리 노력해도 피할 수 없는, 평범하게 사냥을 하던 사람도 걸릴 것 같은 숫자였다.

◆유윤 : 꽤 많이 설치했으니까 이거라면 되겠지.

◆슈바인 : 그렇겠지…… 훗, 이겼군.

◆애플리코트 : 그래.

◆아코 : 완전 승리한 앨리 캣츠 UC!

◆루시안 : 자, 와라! 암살자!

이렇게 말한 것이 이미 플래그였다고밖에 보이지 않는 타이밍에 푸화아아아악! 하는 커다란 대미지 이펙트가 화면을 메웠다.

◆아코 : 싫어어어어어어!

아코의 머리가 날아갔다!

◆애플리코트 : 거너의 스나이핑 헤드샷인가?

◆루시안 : 약해 (확신)

◆슈바인 : 그런 소리를 하고 있을 때냐! 아무리 원거리라고 해도 화면 안이 아니면 공격할 수 없잖아. 분명 어딘가에서 함정에 걸렸을 거야!

◆유윤 : 아니, 반응 없는데.

◆슈바인 : 거짓말이지?!

어떻게 함정을 밟지 않고 온 거냐고!

이거 전부 파티 멤버 말고는 보이지 않는 함정이라고! 피할 수 있을 리가 없잖아!

◆애플리코트 : 이렇게나 많은 함정을…… 이것이 살인귀의 실력…….

마스터가 하아, 하고 한숨을 내쉬며 의자에 기댔다.

"우리는 이렇게 죽어가는 거로군."

"우리도 살해당하는 걸까?"

"이제 틀린 건가……."

"그러게…… 역시 살인귀에게는 이길 수 없었어……."

우리는 절망에 꺾여버렸다.

그런 가운데, 아코만이 눈을 화악 빛냈다.

"앗! 그래요, 그러면 돼요!"

아코가 벌떡 일어났다.

"살인귀가 있다면 그것을 쓰러트리는 사람이 있으면 되는 거라고요!"

무슨 소리를 하나 했더니—.

"살인귀를 쓰러트리는 사람이라니, 누군데?"

"명탐정이죠!"

아코는 검지를 척 세우며 자신만만하게 말했다.

"명탐정이 있다면 살인귀는 반드시 붙잡힐 거예요!"

"그야 뭐, 명탐정이 있으면 그렇겠지."

"확실히 범인은 탐정에게 패하는 법이니까."

"바로 그거에요! 그러니까, 제게 맡겨주세요."

아코는 (`·ω·´) 하고 기합을 넣은 표정으로—.

"저는 망탐정 아코! 수수께끼는 모두 풀렸어요!"

빙글 돌면서 포즈를 잡고 단호하게 외쳤다.

"범인은 이 안에 있어요!"

…………

휘오오오 하는 눈보라 소리가 들렸다.

뭐지, 명탐정이라고 하려다가 약간 틀린 것 같은데…….

그건 넘어가고.

"살인귀 플래그에 명탐정 플래그로 대항하고자 하는 마음은 이해할 수 있지만……."

◆루시안 : 아코가 아무래도 범인을 알아냈다니까 잠깐 기다려.

◆바츠 : 엑?

◆†검은 마술사† : 알아…… 냈다고?

게임 속에서 변명을 하면서 아코를 돌아봤다.

"즉, 아코가 말하고 싶은 건, 이 파티 멤버 안에 PK가 있다는 거야?"

모니터를 가리키며 물었다.

"맞아요! 범인은 이 안에 있어요!"

"그건 알았으니까."

하지만 글쎄, 과연 그럴까?

"이 안에 있다…… 그 말을 들으니 납득이 가네."

"확실히, 그게 아니라면 이해하지 못할 일이 있었어. 숨어서 노리는 거라든가."

"방심하던 루시안을 노리기도 했었다."

그건 그렇지.

확실히 범인이 이 안에 있다면 의문은 사라지지만.

"그래도 물리적으로 무리 아닐까?"

"아무도 파티를 이탈하지 않았으니까."
"맞다. 파티를 맺는 동안에는 공격을 할 수 없어."
누군가가 죽었을 때 전부 함께 움직이고 있었으니까.
몰래 죽이는 것은 무리다.
"그, 그건 그렇지만…… 어어, 그게……."
망탐정 아코 씨, 수수께끼 풀이 파트일 텐데 느닷없이 말문이 막히다.
"뭔가 그런, 특수 아이템 같은 걸로요!"
"아군을 공격할 수 있는 아이템 같은 건 없어."
"그럼 분신을 써서……."
"분신도 파티 멤버에게는 보여."
"우, 우우우우우."
망탐정이 울기 시작했어!
"새, 생각을 바꿔보죠! 다른 방향에서 접근을 해보는 거예요!"
아코는 쩔쩔매며 말했다.
"바꾼다고 해도…… 어떻게?"
"그럼 쌍둥이라든가? 완전히 같은 모습을 가진 캐릭터와 바꾸는 거야. 게임이라면 할 수 있지 않을까?"
세테 씨가 손을 탁 치며 말했다.
"범인이 쌍둥이라니, 추리소설에서는 금지 아니었어?"
"추리소설이 아니라 온라인 게임이니까."

"그렇다고 해도 쌍둥이는 아니지 않을까. 바꿀 의미도 없고."

내가 그렇게 말하자 이번에는 세가와가 손을 들었다.

"그럼 다중인격은 어때? 고양이공주 선생님처럼."

"그건 다중인격이 아니다. 그저 완성된 롤 플레이지."

다중인격하고 뭐가 다른 걸까.

"다중인격이라고 해도 소용없잖아. 같이 있다는 것에 변함은 없으니까."

나는 쓴웃음을 지으며 말했다.

"오히려 마음이 하나고 몸이 두 개가 있어야지."

"바보, 그런 인간이 있을 리가……."

세가와가 거기서 말을 멈췄다.

아, 그래. 그거구나!

"서브캐다! 그거라면 가능해!"

"어, 서브캐라니, 캐릭터를 바꾼 사람은 아무도 없잖아? 같은 계정으로 다중 로그인은 못 하지 않아?"

"아무도 캐릭터 체인지는 하지 않았지만 그건 문제없어."

"2PC에서 다른 계정으로 동시 로그인하면 되니까."

"……그렇군. 그런 수가 있었나."

마스터가 음 하고 끄덕였다.

"레벨 100을 넘은 폐인 정도 되면 2PC도 그렇게 드물지 않다. 메인 계정의 캐릭터를 파티 안에서 움직이면서 서브 PC, 서브 계정으로 PK를 한다면……."

"우리 빼고 이 파티의 누가 범인이라도 이상하지 않다는 거네."

"바, 바로 그거에요! 어떤가요, 제 추리는!"

추리한 사람은 대부분 우리잖아, 이 망탐정아.

하지만 착안점은 근사했다. 범인은 내부 인원이다.

"그렇다면 범인은 누구일까?"

"그러게. 수상한 사람은……."

각자의 행동을 떠올려봤다.

으음, 으음, 으음…….

"전원이잖아."

그렇죠~.

떠올릴 것까지도 없이 전원 수상했다.

"그렇다면 직접 범인을 붙잡을 수밖에 없겠네."

"그 방법이 문제야."

허를 찌를 수단이 상당히 적은 우리 길드에서 PKK 파티 멤버라는 아군이 사라지면 잡을 수단이 한층 줄어든다.

"저기, 잠깐 떠오른 게 있는데."

세테 씨가 자신의 화면을 가리키며 말했다.

"레벨이 엄청 올라서 쓸 수 있게 됐는데 동료가 많으니까 쓰지 않고 있었어. 하지만 전원 말려들어도 괜찮다면, 이 스킬……."

"호오, 데블서머는 이런 걸 익힐 수 있구나. 괜찮지 않을까?"

세테 씨가 익힌 스킬은 평소에는 쓰지 않지만 이 상황에서는 딱 들어맞았다.

이거라면 가능할지도 모른다.

"좋아. 우리끼리 범인을 붙잡자!"

"네! 루시안의 이름을 걸고! 진실한 사랑은 언제나 하나!"

멋대로 남의 이름을 걸지 마!

††† ††† †††

◆†검은 마술사† : 상담은 끝났어?

◆아코 : 죄송해요. 오래 기다리셨습니다. 지금부터 모든 수수께끼가 풀릴 거예요.

◆유윤 : 수수께끼?

◆루시안 : 아, 그 녀석은 내버려둬.

◆아코 : 어째서인가요!

문득 보니 게임 속 아코의 복장이 바뀌어 있었다.

탐정 같은 모자와 파이프를 물고, 롱코트를 입고 있다.

너 대체 그걸 어디서 가져온 거야?

◆애플리코트 : 그보다도, 작전을 생각했다. 지금까지 우리는 멤버가 살해당해서 동요하며 PK에게 휘둘린 끝에 도주를 허용했다.

◆슈바인 : 그러니까 반대로, 희생자를 정하면 돼. 지금 마

침 고양이공주가 없으니까, 캐릭터만 미끼로 써서 살해당하면 그때 붙잡겠어.

◆†클라우드† : 고양이공주 씨에게 무슨 짓을!

◆슈바인 : 그럼 제대로 지키라고.

◆아코 : 고양이공주 씨는 비교적 경험치에 여유가 있으니까 괜찮을 거라고 생각해요.

◆바츠 : 뭐, 폐인이니까.

길드 바깥에서도 이 사람의 몰입도는 널리 알려져 있었다.

◆슈바인 : 그럼 여기에 고양이공주를 놔두자고.

어딜 봐도 미끼라는 듯이 시야가 탁 트인 곳에 놔뒀다.

◆유윤 : 고양이공주 씨…… 딱하게도…….

◆†클라우드† : 제가 지켜드리겠습니다!

◆슈바인 : 힘내라고ㅋ

매우 어처구니없는 짓이었지만 문제없다.

이렇게 일부러 고양이공주 씨를 희생자처럼 내밀면, 기고만장한 PK의 노림수는 고양이공주 씨를 제외한 다른 사람에게 돌아갈 거다!

"그럼, 과연 올까?"

"오겠지. 지금까지의 행동도 있고, 이렇게 판을 깔아줬으니."

"반드시 노려올 거야!"

"의기양양한 표정으로 말이지."

"그 행동을, 이 망탐정 아코는 완전히 파악하고 있어요!"

전혀 신용할 수 없는 탐정이라는 게 가장 문제였다.

그렇게 고양이공주 씨를 둘러싸고 잠시 기다렸다.

시간을 봤을 때 녀석의 준비는 완료됐을 터다. 나머지는 타이밍이다.

“으~음. 좀처럼 안 오네요…… 에, 에취.”

아코가 재채기를 하면서 마우스를 잘못 눌렀다.

우리의 방어진 속에서 아코가 튀어나갔다.

“이런, 돌아와. 아코!”

“아, 네…… 와와왓.”

마치 그에 이끌린 듯이 풀숲이 스윽 흔들렸다.

가장 가까운 풀숲에서 힘차게 뛰쳐나온 붉은 그림자.

그러나 그 표적은 고양이공주 씨가 아니라—.

“이쪽으로 오고 있어요!”

일직선으로 아코에게 달려오고 있었다.

“미끼가 아니라 본체를 노리는군…… 예상대로다!”

“언제라도 괜찮아!”

“나나코, 지금이야!”

“무땅!”

아키야마가 키보드를 타탁 쳤다.

곧바로 워우우우우우우우 하는 개 울음소리가 울렸다.

동시에 전원의 머리 위에 『!!』라는 이펙트가 떠오르고, 전원이 동시에 굳어져버렸다.

스크림 샤우트.

화면 안의 적, 아군을 불문하고 전부 문답무용으로 동결시키는 함성 스킬.

아군도 얼어버리므로 굳이 따지자면 마이너스가 커서 쓰기 어려운 스킬이다.

사냥캐는 그다지 익히지 않는다.

하지만, 이런 상황이라면 효과는 발군!

범인의 이름도 확실히 확인할 수 있다!

◆루시안 : 드디어 모습을 드러냈군…….

◆슈바인 : 자, 붙잡았다.

◆애플리코트 : 네놈이 하수인이냐!

◆세테 : 용서 못해!

◆아코 : 그래요…… 범인은 당신입니다!

◆바소 : 이런ㅋ

◆†붉은 암살자† : 꽤 하는데ㅋ

◆코로 : 들켰나.

◆†클라와드† : 고, 고양이공주 씨를 위하여ㅋ

◆코콘 : 그게 아니거든.

◆강아지 권사 : 구리이.

◆루시안 : 너희들 전원이였냐아아아아아아!

한 명이 아니었던 거냐고!

왠지 글자가 다르지만! 전원 이름을 본 적이 있어!

전원이 전원의 서브캐!

즉, 우리 말고는 전원이 살인귀였냐고!

◆바소 : 이야~ 마지막에는 겹칠 거라 생각했었어. 마침 딱 좋게 시간이 비어서 전원 준비하고 있었으니까.

◆코콘 : 그랬지.

◆†붉은 암살자† : 단지, 조금 식상해졌으니까 이걸 마지막으로 하고 끝내려고 했거든.

◆†클라와드† : 마지막 찬스에 한 번은 하고 싶었으니까ㅋ

◆코로 : 그래그래. 그래서 그만.

◆강아지 권사 : 한 번 더 아수라 한 방 해보고 싶었다구리.

◆루시안 : 너희드으으으으을!

『데혯.』

데혯 좋아하시네!

◆애플리코트 : 그럼, 어째서 이렇게 되었는지 설명을 해줬으면 하는데.

여섯 명+서브캐 여섯 명, 다 합쳐서 12명을 앞에 둔 마스터가 분노의 오라를 고고고고고 내뿜으며 물었다.

평소에는 화내지 않지만, 화가 난 마스터는 무섭다니까.

◆바츠 : 그게 말이지. 처음에는 PK를 찾고 있었는데, 안 나오잖아?

아무래도 처음에 도발 스킬이 높았던 가위 어쌔신은 바츠였는지 대표로 설명을 시작했다.

◆루시안 : 좀처럼 안 나왔었지.

◆바츠 : 그리고 여기에는 PK 잡아주겠다며 완전 장비한 파티가 있고.

◆아코 : 있, 지요.

◆바츠 : ……한번 해보고 싶어지잖아?

◆세테 : 안 그 러 거 든!

세테 씨가 화났다!

◆슈바인 : 거기 너희들도 같은 이유냐.

◆†검은 마술사† : 처음에 왔던 게 바츠라는 걸 알아채서, 재미있을 것 같았거든.

◆코로 : 정말, 부러워서.

◆루시안 : 즉, 제대로 된 이유는 없지만, PKK인데 PK와 만나지 못했으니까 시험 삼아 PK를 해봤는데 즐거워서 그만 빠져들고 말았다, 이거야?

◆바츠 : 그래그래, 그렇다니까ㅋ

최악의 이유였다. 더 이상 변명할 여지가 없을 정도로 제멋대로였다.

◆슈바인 : 이 빌어먹을 놈들이…….

정말 빌어먹을 놈들이지만, 빌어먹을 놈들이지만…….

◆루시안 : 마음은 조금 이해할 수 있어……!

◆세테 : 에에에에에엑?!

◆아코 : 이해는 가네요.

◆슈바인 : 이해는 가네.

◆애플리코트 : 이해는 가는군.

◆세테 : 다, 다들 그래도 돼?

그야 세테. PK와 싸우는 것도 꽤 즐거운 일 아니었심꺼.

◆슈바인 : 근데 PK가 전부 내부 사람이었다면, 어젯밤에 PK하러 왔던 그놈은 누구인데.

◆†검은 마술사† : 그건 수수께끼네. 오늘은 없었던 것 같지만.

◆루시안 : 보이지 않는 상태에서 전원 죽었으니까 상당히 강하다고 생각하는데.

◆바츠 : 위력은 어땠는데?

◆애플리코트 : 한 방당 5k는 나왔었지. 공격속도도 상당했다.

◆바츠 : ……그거 몬스터 아냐?

엑?

◆너구리 약사 : 플레이어는 그런 위력으로 공격을 연발하면서 스텔스 유지는 못한다구리.

◆코로 : 그래. 그런 스킬은 없어.

그럼 몬스터라고? 아니, 그럴 리가. 설마.

그, 그치만 부정할 이유가 없어……!

◆†클라우드† : 여기 어쌔신이 있잖아. 파티에서 사냥할 때는 유윤의 은밀 간파로 보였겠지.

◆유윤 : 대책이 없는 파티라면 안 보이는 상태에서 죽을 수도 있겠지.

"…………그럼, 즉."

"처음부터 PK는 없었던 거야?"

"그런가…… PK 따위는 없었던 건가……."

"마, 맞아요! 이것이 제 망추리에요!"

아코가 미묘하게 일그러진 표정으로 말했다.

으, 응. 그 추리, 어제 시점에서 듣고 싶었어.

"다행이다. 세계는 평화를 되찾았네!"

처음부터 평화로웠던 것 같은 기분이…….

◆†검은 마술사† : 스텔스 대책이 중요하다는 걸 이제 알았겠지?

◆바츠 : 이야~ 다행이네ㅋ

◆코로 : 그럼 우리는 이만.

◆루시안 : 앗! 기다려 이것들아!

도망치는 PKK 파티 멤버 겸 PK를 보면서 우리는 어깨를 풀썩 떨궜다.

"그렇구나. PK는 없었구나. 다들 약간 짓궂은 장난을 쳐서 살인귀가 있는 것처럼 보였을 뿐이구나."

"기합을 넣어서 손해 봤어."

그렇게 한숨을 내쉰 그때―.

“앗…… 알아냈어요! 알아냈다고요, 루시안!”

“이번에는 뭔데.”

“왜 그래, 망탐정 아코.”

“이번에야말로 진실을 깨달았어요!”

자리에서 일어난 아코는 슬쩍 우리 전원을 둘러볼 수 있는 위치에 섰다.

“이 저택에서 일어난 불가사의한 사건. 현실의 살인귀. 그 모든 수수께끼가 지금 풀렸어요!”

그리고는 다시 빙글 돌면서 포즈를 잡더니, 단호하게 말했다.

“그래요, 범인은― 이 안에 있어요!”

또……냐.

“이번에야말로 그건 아니야.”

“뭐가 슬퍼서 길원을 죽여야만 하는 건데.”

“아뇨. 정확하게 말하면, 살인귀 같은 건 처음부터 없었던 거예요.”

그렇게 말하고는 훗 하고 웃으면서 말을 이었다.

“하지만 굳이 따지자면 저희 전원이 범인이기도 해요…….”

“어울리지도 않는 소리 하지 말고 빨리 말해.”

“네…….”

잠시 시무룩해진 뒤에 아코는 가벼운 발걸음으로 나아갔다.

"그럼 설명할 테니까 저를 따라와 주세요."

그렇게 말한 후, 아코는 뚜벅뚜벅 컴퓨터실 입구로…… 에에에에엑?!

"잠깐, 야!"

"빨리 가요."

모두가 부들부들 떨고 있던 컴퓨터실의 문을 활짝 연 아코가 복도로 나갔다!

"너 죽을 생각이야?!"

"탐정은 죽지 않아요!"

"그런 문제가 아니잖아!"

"그만둬라, 아코 군. 바깥에는 누가 있을지……!"

"목숨은 소중히 하지 않으면 안 돼!"

다들 필사적으로 막아섰지만 아코는 미소를 지으며 손짓했다.

"괜찮다니까요. 이쪽이에요."

아코가 앞장서서 걸어갔다.

나는 허둥지둥 뒤를 좇았다.

"저, 정말로 괜찮아?"

"수수께끼는 전부 풀었다고 했잖아요."

아코는 흐흥~ 하고 자신만만하게 가슴을 폈다.

"제게 불가능이란 없어요!"

"지금 뭐든 가능하다고 한 거야?"

"죄송해요 불가능한 건 있어요."

망탐정 아코. 강한 건지 약한 건지 모르겠군.

그렇게 아코가 안내한 곳은 주방이었다.

"그럼, 여러분을 부른 곳은 이 주방. 여기서 식칼이 없어진 사건이 있었죠."

마치 진짜 탐정처럼 아코가 말을 꺼냈다.

"그래. 흉기가 될 것 같은 물건이 사라진 거야."

"게다가 여섯 자루…… 우리의 인원하고 똑같은 수였어."

"아, 그건 우연이에요."

아코가 태연한 말투로 설명했다.

"뭐?"

"순서를 따라 설명할게요. 이 별장은 근사한 건물이에요. 원래는 프로 요리사를 데려올 수 있는, 그런 분을 위한 시설이라고 생각해요."

"이곳은 큰할아버님의 별장이니 말이다."

마스터가 동의했다. 그걸 보고 아코가 한층 말을 이었다.

"그러므로 수많은 식칼이 있었어요. 중식칼, 데바칼, 회칼, 페티 나이프 같은 것도 마련되어 있었어요."

"흠흠."

제대로 알고 있는 사람은 주방 담당인 아코뿐이었을 거다. 마스터와 세가와는 식칼의 종류까지 파악하고 있지는 않을 테니까.

"하지만 그건 좋으면서도 안 좋은 일이었어요. 어젯밤, 중식칼로 감자를 깎으려던 슈를 보며 저는 생각했어요. 이건 한 걸음만 잘못 디뎠다간 사건이 벌어질 거다, 라고요."

"세가와, 너……."

"아니, 잠깐 써보고 싶었을 뿐이거든?"

얘는 진짜 터무니없는 녀석이라니까.

아코는 그런 세가와를 본 뒤에 천천히 걸어갔다.

"그래서…… 저는 생각했죠."

마지막으로 남은 만능 식칼을 살며시 들어올렸다.

"가장 쓰기 쉬운 식칼을 하나만 남겨두고—."

그리고 싱크대 한쪽, 스테인레스 벽을 건드려서 스윽 밀었다.

"여기에, 남은 식칼을 숨겨두자고요."

그곳이 활짝 열리고, 식칼이…… 여섯 자루, 전부 나왔다!

"에에에에엑, 아코가 숨겨뒀던 거야?!"

"그럼 설마, 범인은 아코 군……?!"

아키야마와 마스터가 새파래진 얼굴로 뒷걸음질 쳤다.

"아코가 살인귀라니, 그런, 설마……."

"아코의 성격을 생각하면, 니시무라에게 접근하는 여자를 이 자리에서 모조리 쓸어버리려고……."

"우와아아아아, 동기가 있었어!"

게다가 아코라면 할 수도 있고!

"아니에요, 아니에요! 위험하니까 숨겨둔 거라고요!"

우리가 덜덜 떨자 아코가 허둥지둥 고개를 내저었다.

"그대로 남겨두면 누군가가 다칠 거라고요! 모처럼 마지막 합숙인데 손가락을 베이거나 하면 마우스를 못 잡게 되잖아요!"

"아…… 그러고 보니 확실히!"

"덕분에 아카네는 다치지 않았네!"

"잘 했다, 아코 군!"

우리는 그렇구나! 라며 아코를 칭찬했다.

"거짓말, 칭찬할 일이야?!"

"그야 칭찬할 일이지! 중식칼로 감자를 깎으려는 녀석이 있으니까!"

"위험하겠네~ 라고 생각해서 도중에 그만뒀단 말이야!"

하기 전에 알아채라고!

"하지만 그럼 왜 말하지 않았던 건데. 다들 불안해할 필요가 없었잖아."

"말하려고 생각했을 때는 이미 살인귀가 있구나! 라는 분위기가 되어버려서…… 만약 식칼이 나왔다간 다들 무장하자는 말이 나와서 다칠 것 같았다고요."

"……있을 법해."

중식칼을 든 세가와가 뇌리에 뭉게뭉게 떠올랐다.

"그건, 뭐, 응. 부정은 못 하겠네."

"틀어박히는 편이 나았어……."

다행이다, 이걸로 조금 안심했다.

"그런가…… 식칼을 훔친 건 살인귀가 아니었군."

"흉기에 관해서는 안심이네."

"하지만 기다려. 그런데도 누가 있는 건 틀림없잖아? 아무도 쓰지 않은 방에서 잤던 녀석이—."

"아……."

그랬다. 이거 말하지 않았었지.

하지만 말해버리면 다들 살인귀 같은 건 없구나~ 라며 방심할 것 같잖아. 그게 가장 위험할 것 같은데.

어쩌지, 라며 아코의 얼굴을 보자 괜찮아요~ 라는 표정으로 웃었다.

그러고 보니 방금 아코는 말했었다. 살인귀 같은 건 없다고.

그게 사실이고, 확실히 없다고 단언할 수 있다면—.

"어, 미안. 거기를 쓴 사람은 나야."

나도 숨기고 있던 사실을 자백했다.

그러자 아키야마가 황급히 내게서 멀어졌다.

"설마 니시무라. 수상한 사람이 있는 것처럼 꾸며서 여자아이한테 이상한 짓을 하려고!"

뭐야 그 최악의 의심은?!

"그런 생각은 안 했습니다!"

"그, 그럼 왜 일부러 다른 방에서 잔 건데?"

세가와가 조심조심 물었다.

"혹시 아코가 왔을 때 발견되지 않도록 몰래 다른 방에서 잤을 뿐이야!"

"아아…… 그럼 어쩔 수 없네."

"그렇구나. 하긴, 그 정도 대책은 세워놔야지."

"어, 어쩔 수 없다고 이해해주는구나."

아코의 공포가 충분히 전해진 것 같아서 기쁜 것도 같고, 슬픈 것도 같고.

"니시무라도 바로 말해줬으면 좋았을 걸."

"말했다면 다들 안심해서 아무런 경계도 하지 않을 것 같았으니까. 나는 다른 사건에 짐작 가는 게 없어서 진짜로 누가 있는 게 아닌가 싶었다고."

그리고 아코랑 함께 잤다는 것도 들킬 거고.

"그래도 아직 이상한 점은 남아 있어."

"맞아. 탈출수단이 없는 건 무서워. 보드는? 열쇠는 어디 갔는데?"

"그 수수께끼도 이미 풀었어요."

아코는 훗 하고 웃으며 세가와를 가리켰다.

"스노보드를 숨긴 사람은…… 슈, 당신이죠!"

"윽……."

그 말을 듣고 세가와가 가슴을 꽉 눌렀다.

"마…… 맞아. 내가 범인이야."

"네 짓이었던 거냐."

"설마 세가와, 도둑이 있는 것처럼 꾸미고는 금품을 강탈해서 컴퓨터 스펙 향상에 쓰려고 생각한 거……."

"나는 그렇게까지 추락하지 않았어!"

하긴 그렇지. 그런 녀석이었다면 순순히 마스터한테 부품을 받을 테니까.

"그럼 슈바인, 어째서 보드를 숨긴 거냐."

"그치만 스노보드 타고 싶지 않았는걸!"

"그것뿐이야?!"

그걸 위해서 전부 옮겼던 거냐고!

"그, 그것뿐만은 아니야."

세가와는 조금 뺨을 붉히고는 우리에게서 눈을 돌리며 말했다.

"스노보드를 타고 있으면 왠지 개별 행동이 많아지잖아? 어제도 결국 뿔뿔이 흩어졌었고."

"우리는 언제나 그랬으니까."

"맞아. 그건 그것대로 상관없지만. 마지막 정도는…… 함께 하고 싶어서……."

그래서 스노보드를 숨겼다는 건가.

"차고에 갖다 놨으니까 위험하다는 걸 알고 나서는 꺼내려고 했지만…… 스노보드를 써서 바깥으로 나가면 니시무라랑 아코가 못 따라오잖아. 둘만 남겨두고 갈 수도 없고."

"운동치인 탐정은 범인의 다정한 배려에 눈물이 나올 것 같아요."

"조금 나오고 있는데."

버려지지 않았다는 감동 때문인지, 못난이 취급이 슬픈 건지는 모르겠지만.

"그럼 차 열쇠는?"

"그건……."

명탐정 아코가 척 마스터를 가리켰다.

"당신을, 범인입니다."[#9]

범인으로 만드는 거냐.

"음. 나다."

하지만 마스터는 곧바로 인정하고 주머니에서 열쇠를 꺼냈다.

"어째서 그런 짓을 한 건데……."

"마스터의 성격을 생각하면, 저희를 별장에 가둬놓고 절대로 도망치지 못하는 동료로 삼으려고 한 게 아닐까 하는데요……."

"그, 그런 거창한 생각은 안 했다."

아코의 약간 무서운 추리에 마스터는 새파래진 얼굴로 설명했다.

#9 당신을, 범인입니다. 게임 『월희』의 등장인물 히스이의 대사에서 나온 수많은 오타에서 파생된 2차 창작 세뇌탐정의 대표적인 대사.

"실은 말이다, 열쇠를 맡아뒀던 건 어젯밤 일이었다."

"살인귀가 어쩌고 하는 이야기가 나오기 전?"

"음. 그게, 설명하는 것도 쑥스러운 일이다만."

마스터는 진짜로 쑥스러운 듯이 드문드문 말했다.

"어제가 너무 즐거워서 말이다……."

차르륵, 손 안에 있는 열쇠를 흔들면서—.

"월요일에 돌아가는 게 아쉬워서, 차가 움직이지 않는다면 더 있을 수 있지 않을까, 했거든."

"……아코의 추리. 부분적으로 맞았네."

"씨익!"

"씨익이고 자시고. 하루 정도 더 있을 뿐이잖아."

아무리 그래도 가둬놓고 있을 수는 없으니까.

"게다가, 이게 마지막이라고 생각하니 그만."

"응…… 그러네."

"마음은 알겠어."

약간 울적한 분위기가 되고 말았다.

마지막 합숙. 아쉬운 마음이 드는 건 다들 마찬가지다.

"바로 꺼내도 상관은 없었다. 하지만 이런 기후에서 일반 승용차를 몰았다간 바로 움직이지 못하게 된다. 눈보라 속에서 바깥에 우두커니 머물게 되면 최악의 경우에는 눈에 묻혀서 일산화탄소 중독에 걸리겠지. 무리해서 나가지 않고 별장 안에 있게 하는 것이 내가 할 일이라고 생각했다."

"나, 차가 있었으면 바로 도망쳤을 거야."

"나도."

마스터가 정답이었다.

"우, 그럼, 미안……."

아키야마가 손을 스윽 들었다.

"인터넷 케이블 뽑은 거, 나야……."

"어째서 그런…… 아뇨. 죄송해요. 이유는 알겠어요."

"그렇지. 이해는 가."

"어째서?! 물어봐줘! 나한테도 시리어스한 의심을 하란 말이야!"

그렇게까지 말하면 물어보긴 하겠지만.

"그렇게나 온라인 게임이 싫었어?"

"싫었던 건 아니야. 그치만, 마지막인걸. 평소처럼 하는 게 아니라 특별한 추억을 갖고 싶어서."

"특별한…… 이라."

"특별하다면 특별해졌네."

"살인귀에 겁먹고 틀어박히다니, 평생에 두 번은 없을 거다."

서로를 보며 킥킥 웃었다.

그런 우리를 보며 아코가 씨익 웃었다.

"훗훗훗, 어떤가요! 전원이 범인이되 전원이 범인이 아니다! 살인귀는 처음부터 없었던 거예요! 이것이 명탐정 아코가 밝혀낸 진실이에요!"

"오오~."

확실히 명추리다.

무심코 전원이 박수를 보내고 말았다.

"이야~ 대단하네. 어떻게 알아낸 거야?"

"다들 조금씩 상태가 이상해 보여서…… 왠지 모르게요."

"아…… 제대로 보고 있었구나. 아코 너는 니시무라 말고는 안 보는 줄 알았어."

세가와가 쓴웃음을 지으며 말했다.

그 말을 듣고 아코도 어리둥절하며 고개를 갸웃했다.

"저도 루시안 말고는 보지 않을 생각이었거든요."

"생각이었다니, 제대로 보고 있었잖아. 다른 애들도."

의식하지 않고 무의식적으로 볼 정도로 모두를 신경 쓰고 있었구나.

그래서 진실을 알아냈다. 그야말로 명탐정 아코였다.

"아, 그리고 또 한 가지 이유가 있어요."

손뼉을 치며 아코가 말했다.

"저는 두 가지 진실을 알고 있었으니까요."

"두 가지?"

"네. 식칼을 숨긴 사람은 저고, 루시안이 옆방을 쓰고 있었다는 것도 알고 있었어요. 그러니까 살인귀는 없는 게 아닐까~ 라고 생각했던 거예요."

"아아, 과연…… 과연?"

세가와가 어라? 하고 고개를 갸웃했다.

"……어떻게 니시무라가 이동했던 걸 알고 있었던 걸까~, 아코~?"

"그러고 보니 오늘 아침, 아코가 방에 없었어……."

"내가 관리하고 있는 곳에서 동침이라니…… 내 자신이 한심해지는군……."

"아니, 이상한 일은 전혀 없었거든? 그렇지?"

맹세코 나는 결백해! 무죄라고!

"그보다 잘 생각해 보니 흉기에, 은신처에, 가장 위험한 사건을 일으킨 사람은 너희 부부잖아!"

"악의는 없었어!"

설마 이런 일이 벌어질 줄은 몰랐다고!

"잘못했습니다!"

"죄송합니다!"

"그건 우리도 마찬가지니까, 상관없지만."

"전원 같은 죄로군."

"그러네."

우리는 용서받았다. 다행이다. 아직 이 부활동에 남아있을 수 있겠어.

"……그러고 보니, 고양이공주 선생님은 전부 알고 있었던 거 아니야?"

"알고 있었는지는 모르겠지만, 뭔가 일이 있었다는 건 눈치챘던 거 아닐까? 우리가 방을 나가면 반드시 유이 선생님 방 앞을 지나가니까."

"……그런데, 사이토 교사는 어떻게 된 거냐?"

"목욕탕에 있었던 건 확인했는데……."

그로부터 상당히 시간이 지났는데 나오질 않는다.

그리고 무수한 사망 플래그 발언.

"……설마 정말로 첫날 희생자로……."

"그럴 리가 없잖아. 살인귀 같은 건 없으니까."

아하하 하는 웃음소리가 울려 퍼진 것과 동시에—.

덜컹, 풀썩! 하고 뭔가 쓰러진 소리가 들려왔다.

"무슨 소리지?!"

"목욕탕 쪽인가?!"

설마 정말로 첫날 희생자로?!

허둥지둥 달려가 보니 반쯤 열린 탈의실에 쓰러진 그림자가!

"선생님! 괜찮으세요?!"

안으로 들어가자 가운을 입은 고양이공주 씨가 탈의실 바닥에 쓰러져 있었다.

"선생님, 정신 차려! 선생님!"

"고양이공주 씨!"

흔들어보자 선생님은 눈을 천천히 뜨면서 말했다.

"…………혀."

"혀?"

"현기증이…… 난다냐……."

"…………."

"이, 이상입니다! 증명 종료네요!"

처음부터 평화롭기 그지없었던 별장은, 다시금 평화를 되찾았다.

에필로그
아코로드 레볼루션

And you thought there is Never a girl online?

◆세테 : 나를 죽인 책임은 제대로 져줘야 해?

◆바츠 : 아, 알았다고. 어쩔 수 없네.

◆†검은 마술사† : 제대로 책임지고 레벨 올려줄게.

◆너구리 약사 : 구, 구리~.

세테 씨가 웃으며 던진 말에 조금 겁먹으면서 동의해준 PK 일동을 데리고 우리는 다시 PvP 필드를 찾았다.

이제는 PK도 안 나오니, 목적은 처음부터 몬스터 사냥이다.

◆슈바인 : 앞으로 304,933,164! 아침까지 끝내지 않는다!

◆코로 : 잠깐, 그거 하루 안에는 힘들지 않을까?

◆애플리코트 : 문제없다. 낮의 효율을 보건대, 방해만 받지 않는다면 아침까지는 끝낼 수 있다는 계산이 나온다.

◆†클라우드† : 아, 아침까지……?

◆고양이공주 : 같이 해줄 건가냐?

◆유윤 : 맡겨주세요!

다들 이러니저러니 해도 나쁜 녀석들은 아니다.

업데이트 전의 중요한 레벨 올리기를 방해한 책임을 확실히 지기 위해, 폐인 플레이어들은 우리와 함께 몬스터를 잡으러 돌아다닌다는 파워 레벨링에 어울려주었다.

이전보다 훨씬 좋은 어마어마한 페이스로 경험치가 착착 쌓여갔다.

폐인의 진지한 사냥은 정말 터무니없다. 우리만 있을 때와 비교하면 10배 가까운 효율이 나오고 있었다.

◆루시안 : 좋았어. 레벨 100이다!

처음에는 내가.

◆고양이공주 : 끝났다냐~!

그 직후 고양이공주 씨가.

◆애플리코트 : 이걸로 레벨 업이다.

다음으로 마스터가.

◆슈바인 : 이 몸의 진정한 힘이!

그 후에 슈가 레벨 100을 돌파했다.

그리고— 동이 틀 무렵.

◆바츠 : 이제 아침이야. 아무리 그래도 좀 빡센데.

◆슈바인 : 됐으니까 빨리 적을 몰고 오라고.

◆바츠 : 두세 번 죽였다고 죄가 너무 큰 거 아냐?ㅋ

◆너구리 약사 : 세빌리아의 스타일리스트, 연타로 해두고 자면 안 되나구리?

◆루시안 : 안 됩니다.

◆너구리 약사 : 구리~.

이제 아코의 레벨 100을 기다릴 뿐.

◆루시안 : 아코, 얼마나 남았어?

◆아코 : 2퍼센트 남았어요!

◆슈바인 : 마지막이다! 기합을 넣고 가자!

◆†클라우드† : 우오오오오오!

전원 체력은 한계였지만, 버텨내면서 라스트 스퍼트에 박차를 가했다.

◆고양이공주 : 졸리다냐…….

◆세테 : 선생님 자면 안 되……는데…….

◆애플리코트 : 채팅 글자가 이미 졸려 보인다만.

◆루시안 : 앞으로 다섯 마리, 힘내자!

그리고 마침내, 그때가 왔다.

◆아코 : 레벨이 올랐어요!

빠밤~ 하고 팡파르가 울리며 아코의 레벨이 100이 되었다!

"해냈어요! 해냈다고요!"

"오우, 노력했네. 노력했지만……."

레벨 올리기는 끝났지만, 실은 아직 끝나지 않았다.

"아코는 아직 전직도 하지 않았으니까."

"그, 그랬죠."

아코는 아직 클레릭이다.

홀리 클레릭이 되기 위해서는 카디널을 마스터할 필요가 있다.

업데이트에는 맞추지 못하겠지만, 모두가 새로운 직업을 마스터하기 위해 노력할 때부터 함께 노력하는 건 어려운 일이 아니다.

"아코, 전직은 싫어?"

"우우, 스킬이 늘어나면 잘 못 쓸 테니까, 또 못해질지도 몰라요."

하지만, 이라며 아코는 작게 숨을 내쉬고는 우리를 둘러 봤다.

"제대로 할 수 있을 때까지 함께 해주실 거죠?"

"당연하지. 그런 건 물어볼 필요도 없어."

"동료를 위해서라면 몇 번이라도 죽어줄 수 있다."

"살인귀와 싸운 사이니까."

모두 그렇게 말해주었다.

줄곧 모두를 봐 왔던 아코는 사실 이런 답변이 올 것을 알고 있었을 것이다.

자신은 버려지지 않는다는 것을—.

"……할 수 있을 때까지 어울려줄게."

"네!"

내게 고개를 끄덕이면서 아코는 퀘스트란을 열었다.

퀘스트 자체는 나도 도왔다. 이미 끝마친 상태다.

퀘스트 완료 버튼을 누르면 이 자리에서 카디널이 된다.

아코는 천천히 그 버튼을 눌렀다.

부와앙 하고 조금 전 이상의 커다란 팡파르가 울렸다.

◆아코 : 지금 여기서! 저는 다시 태어났어요!

◆루시안 : 오오.

장비는 똑같으니까 겉모습은 거의 변화가 없었지만, 아코는 클레릭에서 카디널이 되었다.

새로운 한 걸음이다.

◆슈바인 : 겨우 전직했나…… 한 바퀴 뒤처지긴 했지만.

◆애플리코트 : 우리는 바로 다음 직업이 되니 말이지.

◆아코 : 바로 따라잡을게요!

◆루시안 : 힘내자.

기다려줄 테니까.

새로운 년도를 앞두고 겨우 아코도 새로운 한 걸음을 내딛었다.

모두의 입장에서 보면 한 바퀴 뒤쳐졌지만, 아코 나름의 한 걸음을.

그리고 그것이, 이 합숙의 마지막 한 걸음이었다.

"드디어 끝났네."

"길고 괴로운 싸움이었어……."

"이걸로 마지막 합숙, 무사히 목표를 달성했구나."

마스터는 해냈다는 듯이, 어딘가 지친 표정으로 말했다.

"마지막……이라."

"이걸로 끝, 이네."

마지막 합숙.

시작하기 전부터 그런 명목으로 진행된 합숙이었다.

내년부터는 새로운 부원을 들여야 한다. 그렇게 되면 이 온라인 게임부는 지금처럼 지낼 수 없을 거라고 생각했는지, 전원이 마지막이라고 생각했다.

그래서 다들 추억을 만들기 위해, 즐거운 일을 하기 위해, 실컷 헛돌았다.

그 결과, 두 번 다시 할 수 없을 귀중한 체험을 할 수 있었다.

그건 기뻤지만, 잊을 수 없지만, 그래도—.

"나는, 싫은데."

입에서 툭 튀어나왔다.

"마지막이라니, 싫어."

"……네?"

멍해진 아코에게, 나는 말했다.

"이게 마지막이라니 난 싫어. 이렇게 즐거웠단 말이야. 다음이 없다니 말도 안 돼."

아코만이 아니다.

마지막이라는 걸 납득해서, 모조리 타버린 듯한 표정을 짓고 있는 모두에게—.

"그치만 온라인 게임은 그런 법이잖아. 마음에 든 동료와 하고 싶은 일을 하고, 마음대로 세계를 모험하는 것. 그게 온라인 게임이잖아. 그런데 강제적으로 동료를 늘리고, 하고 싶지도 않은 일을 하다니, 그건 잘못됐어!"

그런 건 온라인 게임부가 아니다.

현대통신전자 유희부는 그런 부활동이 아니다.

"어쩌면, 세테 씨처럼 마음이 맞는 사람을 찾을 수 있을지도 몰라. 그게 아니라도 유령부원이 되어주는 사람이 있을지도 몰라. 끝이라고 결정된 건 아니야. 끝났다고 생각하고 싶지 않아!"

그런 형편 좋은 일은 일어나지 않을지도 모른다.

그럼에도, 즐거웠지만 슬픈, 마지막 추억 같은 것은 원하지 않는다.

"아무리 해도 무리라면 부원 따위는 들이지 말고 억지를 부리자! 선생님을 협박해서 명목상으로만 들어갔다고 해도 되고!"

"협박은 하지 말았으면 좋겠다냐!"

"아직 그때는 오지 않았어! 끝나지 않았다고! 그러니까 마지막이라는 소리는 하지 않을 거야!"

선생님의 말을 무시하고 나는 주먹을 꽉 쥐었다.

"현대통신전자 유희부는, 우리의 것이잖아!"

단언했다.

스스로도 논리가 엉망진창이라 생각하지만, 그럼에도 본심이었다.

의무로 만든 동료 따위는 필요 없다.

교칙이니 뭐니 해도, 이건 양보하고 싶지 않다.

"……그러네요."

아코가 내 손을 꼬옥 잡았다.

"처음부터 제대로 된 부활동이 아니었는데, 이제 와서 제대로 규칙을 준수하는 것도 이상하잖아요!"

"어, 어이없는 논리네."

세가와는 쓴웃음을 지었지만, 그럼에도 천천히 고개를 끄덕였다.

"하지만, 나도 그렇게 생각해. 지금까지도 잘 해왔으니까, 앞으로도 어떻게든 될 거야."

"그렇군. 나도 참, 교칙 하나에 휘둘려서 길원들에게 상처를 주다니…… 길드 마스터로서 수치스럽군."

마스터도 자신만만하게 가슴을 폈다.

그래. 마스터는 이래야지.

"나는 솔직히, 부원이 많이 늘더라도 괜찮을 거라 생각하지만…… 그래도."

세테 씨도 웃으면서—.

"아직까지는 이런 식으로 즐겁게 놀고 싶어."

그렇게 말해주었다.

"선생님으로서는 인정해줄 수 없다냐. 인정해줄 수 없지만…… 해고되지 않는 범위 안에서는 너희들의 꿈을 응원해주고도 싶다냐."

선생님은 인정해준다는 듯이 말했다. 감사합니다. 가급적 선생님이 해고되지 않을 방법을 생각할게요.

"그럼 마지막이니 뭐니 하는 우울한 소리는 끝! 다음 과제는, 무슨 수를 써서든 지금과 같은 현대통신전자 유희부를 존속시키는 거다!"

"이의 없어요!"

"힘내자!"

"오오~!"

"냐아~!"

새 학기를 앞두고 무거운 과제가 남고 말았지만.

우리의 사기는 유래가 없을 정도로 높아졌다.

"그 무렵에는 내 슈바인도 전직해서 한층 파워 업을 이룩할 테니까. 다소의 문제는 힘으로 밀어붙이자."

"나는 전직해도 딜은 안 올라갈 텐데."

"루시안은 여느 때처럼 하면 된다."

"그렇죠."

아코는 나를 포용하듯이 웃었다.

"그런 식으로 저희를 지켜주세요."

"……그래. 맡겨둬."

여러 의미가 들어간 듯한 말이었지만, 분명 아코는 굉장히 단순한 의미로 했을 거라는, 그런 느낌이 들었다.

"……그러고 보니! 저는 한 발 먼저 다시 태어났네요!"

그때 아코가 마음을 다잡은 듯이 말하고는 화면으로 고

개를 홱 돌려서 마우스를 다시 잡았다.

◆아코 : 기왕이니까 새 직업의 힘을 보여드릴게요!

◆아코 : 어어, 새로운 스킬이…….

그렇게 말한 아코의 몸을—.

◆바소 : 샤키~잉ㅋㅋㅋ

우와아아아아앗!

갑자기 거대한 가위가 관통했어!

◆아코 : 와아아아아앗, 레벨이 떨어졌어요!

◆고양이공주 : 바로 소생시키겠다냐!

◆바소 : 핫핫핫ㅋ

◆루시안 : 너 대체 무슨 짓이야아아아아!

◆바소 : 잡아보시지ㅋㅋㅋ

◆슈바인 : 도망쳤다! 쫓아라!

◆†검은 마술사† : 아니, 쫓지 마! 저기 있는 바츠 본캐를 죽이자!

◆바츠 : 우왓, 그만둬! 내 1퍼센트가 얼마나 무겁다고 생각하는 건데!

◆유윤 : 이 녀석, 두 캐릭터를 동시 조작해도 상당히 강해! 조심하라고!

"아코, 버프랑 힐을!"

바츠&바소를 막기 위한 싸움이 시작된 가운데, 아코에게 지원을 요청했다.

"어, 어어, 어어어."

아코는 한동안 당황한 뒤에 울먹이는 목소리로 말했다.

"스킬 배치가 변해서 모르겠어요!"

"빨리 고쳐!"

아코가 새로운 자신에게 익숙해지려면 아직 시간이 걸릴 것 같았다.

■작가 후기

파티 채팅으로 변경합니다.

오랜만에 뵙겠습니다. 혹시 애니메이션 쪽에서 들어와서 한꺼번에 구입해주신 분들은 처음 뵙겠습니다.

키네코 시바이입니다.

『온라인 게임의 신부는 여자아이이라고 생각한 거야?』도 Lv.9입니다.

Lv.9라면 많은 게임에서는 전직 직전. 빨리 Lv.10이 되고 싶은데도 의외로 멀어! 빨리 레벨 올라라! 같은 타이밍입니다.

하지만 Lv.9는 전직 전의 소중한 한때. 부디 어울려주신다면 고맙겠습니다.

자, 그럼 정말로 할 이야기가 없어서 곤란해진 『옛날 게임 안에서 결혼했지만 여자랑 바람이 나서 이혼한 여자 캐릭터』에 대해서입니다.

이제 떠올릴 것도 없는지라 차라리 본인에게 물어보기 위해 몇 년 만에 그 게임을 인스톨했습니다.

긴 업데이트를 마치고, 어렴풋이 기억하던 비밀번호를 입력하고, 그리운 캐릭터 선택을 거쳐 마을에 내려선 뒤에 그녀가 로그인해 있었으면 좋겠네, 라고 생각하며 친구 리스트를 열자— 100명 이상 등록되어 있던 친구 리스트는 단 한 명을 제외하고 전부 오프라인 상태였습니다.

온라인 게임의 비애입니다.

쓰라린 추억이 있는 것과 동시에 즐거운 기억도 무척 많았건만. 이제 만날 수 없다고 생각하니 역시 슬퍼졌습니다.

파티를 해산합니다.

솔로로 돌아온 시점에서 감사와 사죄를.

일러스트의 Hisasi 씨. 이번에도 무리한 부탁만 드려서 정말로 죄송합니다. 바쁘신 와중이라고 생각합니다만 부디 잘 부탁드립니다.

오전 다섯 시의 메일이 일상이 되어버린 담당님. 일단 주무세요.

코미컬라이즈를 그려주시는 이시가미 카즈이 씨. 매번 즐겁고도 귀엽고도 재미있어서 저도 완전히 독자가 되었습니다. 정말로 감사합니다.

여기까지 읽어주신 독자 여러분. 권수를 거듭하며 이 시리즈의 세계가 넓어질 때마다 감사의 마음은 늘어나고만 있습니다. 진심으로 감사드립니다.

그럼 기회가 된다면 또 만납시다.

키네코 시바이였습니다.

■역자가 후기

안녕하세요. 불초 역자입니다.

겨울, 그리고 온천입니다. 보통 여름에 서비스신이 많지만 겨울에도 온천이 들어가면 수위가 만만찮죠. 그리고 어김없이…… 네, 책을 이미 넘겨보신 여러분들이라면 제 심정을 이해하시리라 생각합니다. 험험.

이번 이야기의 중심은 PK였습니다. 지금이야 PK를 아예 못하고 투기장 같은 곳에서 PvP만 가능한 게임도 무척 많습니다만 예전에 시뻘건 아이디를 갖고 나타나는 PK는 공포의 대상이었죠. 옛날 게임 같은 경우에는 죽으면 장비를 랜덤으로 떨어트리기도 했기 때문에 피 같은 아이템을 날려버려서 게임을 접어버리는 경우도 일상다반사였고, 지금도 진영 간의 분쟁이 허용되는 RvR 게임 같은 경우는 만렙이 적대 진영의 저렙존으로 들어가서 양민학살을 벌이는 경우도 종종 있고…… 저도 많이 당해봤기 때문에 지금도 생각만 하면 치가 떨립니다만 아무튼 온라인 게임의 한 요소임에는 틀림없습니다. 많은 이야기가 만들어지기도 하고요.

제가 저렙 때 만렙 PK들이 찾아와서 학살당하고 있었는데 채팅으로 정보가 전해지자 같은 진영의 만렙들이 도와주러 와서 그들을 쫓아내던 게 지금도 기억에 남더라고요. 당시에는 참 대단해보였죠.

그러고 보니 이 시리즈도 드디어 작중 시간으로 1년이 넘어가고 있습니다. 다음 권부터는 드디어 새 학기가 시작되겠군요. 이 멤버들이 또 어떻게 좌충우돌하며 다음 1년을 보낼지 저도 몹시 궁금해집니다. 과연 새 부원은 들어올 것인지, 4차 전직을 한 앨리 캣츠의 활동은 어떻게 될지 기대하면서 후기는 이쯤 하도록 하고, 다음 권에서 뵙겠습니다.

특별강좌 noob 아코와 루시안의 온라인 게임!

아코 : 슬슬 처음에 들었던 건 잊어버리게 되는 학습 코너 제7회입니다!

루시안 : 진짜로?! 다시 가르쳐줄까?

아코 : 거짓말이에요 거짓말이에요! 기억해요!

『PK, PKK, MPK란?』

아코 : 왠지 모르게 알고는 있지만, 설명해주시면 좋을 것 같아요.

루시안 : 어어, PK는 살인, PKK는 살인자 살인, MPK는 몬스터를 사용한 살인, 이려나.

아코 : 죽인다는 말이 가득해요! 살벌하네요!

루시안 : 기본적으로 플레이어를 죽이는 일이니까.

아코 : 그래서, 어떻게 다른 건가요?

NEXT PAGE!

루시안 : 기본적으로 말 그대로의 의미인데…… PK는 플레이어 킬. 직접 다른 플레이어를 죽이는 일이야. 아, PK라고 써서 플레이어 킬이라고 읽는 경우하고 플레이어 킬러라고 읽는 경우 두 가지가 있으니까 유념해.

아코 : PK한테 PK당했다, 라는 뭐가 뭔지 모를 채팅이 자주 보이긴 하죠.

루시안 : 그렇지. 그리고 마찬가지로 PKK는 PK한 사람을 노려서 죽이는 일이야. MPK는 몬스터를 떠넘기거나 전투 중에 방해를 하는 등 몬스터가 플레이어를 죽이게끔 유도하는 걸 말해.

아코 : PK한 사람을 죽이는 일을 PKK라고 부르는 거죠? 하지만 그건 그것대로 PK의 일종이지 않나요?

루시안 : 그렇지. PKK도 말하자면 PK야. 단지, 게임에 따라서는 PK를 죽이는 경우에는 PK 취급을 하지 않는다거나, 카르마가 늘지 않는다거나 하니까. 구별하는 경우가 많아.

아코 : 그렇게 보면 전부 무섭지만, 역시 직접 살해당하는 게 가장 싫네요.

루시안 : ……과연 그럴까.

아코 : 아닌가요?

루시안 : PK는 다른 플레이어를 직접 공격할 방법이 없다면 불가능해. 그러니까 PK가 나타난다는 소리는 시스템적으로 PK가 가능하고, PK를 하는 게 인정된다는 걸 뜻하지. 그렇기에 처음부터 다른 플레이어는 적이라고 생각하며 경계할 수 있어. 하지만 일반 맵이라면 다른 플레이어는 적이 아니잖아?

아코 : 굳이 따지자면 아군이죠.

루시안 : 그래그래. 위험해지면 힐을 써주는 사람도 많고, 섬멸을 도와주기도 하지. 하지만 MPK라는 건 일반 맵에서 아군이라고 생각한 플레이어가 느닷없이 적이 되어 나를 죽이려고 하는 거라고.

아코 : 그, 그거 무섭네요! 옆을 걷던 사람이 갑자기 적이 된다니!

루시안 : 그러니까 MPK는 무섭고, 싫은 법이야. 같은 게임의 동료에게 방해를 받는 셈이니까.

아코 : MPK를 당하면 한동안 우울해질 것 같아요…….

루시안 : —이렇게 남 일처럼 말하고 있지만, MPK는 자신이 가해자가 되는 일도 있어. 적의 위치를 조절하다가 타인의 광역 공격에 휘말렸다든가, 자신이 죽는 바람에 다른 사람에게 몬스터가 흘러가서 그 사람이 죽는다거나.

아코 : 그런 경험 있어요! 어, 그런 것도 MPK인가요?

루시안 : 일단 MPK의 일종이야. 극단적으로 말하면 전투 중인 사람한테 채팅을 보내서 답변을 보낸 탓에 죽는, 그런 것도 MPK니까.

아코 : 거기까지는 책임질 수 없어요!

루시안 : 그래서 이것저것 다 MPK라고 떠드는 것도 좋지는 않아. 그렇기에 의도적인 MPK는 정말로…… 사라져야 한다고…… 사라져버려…… 언제나 처음에 죽는 건 탱커란 말이야…….

아코 : 루, 루시안?! 정신 차리세요!

온라인 게임의 신부는 여자아이가 아니라고 생각한 거야? 9

초판 1쇄 발행 2016년 9월 10일

지은이_ Kineko Shibai
일러스트_ Hisasi
옮긴이_ 이경인
일본판 오리지널 디자인_ AFTERGROW

발행인_ 신현호
편집부장_ 김은주
편집진행_ 최은진 · 김기준 · 김승신 · 원현선
편집디자인_ 양우연
국제업무_ 정아라
관리 · 영업_ 김민원 · 조인희

펴낸곳_ (주)디앤씨미디어
등록_ 2002년 4월 25일 제20-260호
주소_ 서울시 구로구 디지털로 26길 111 JnK디지털타워 503호
전화_ 02-333-2513(대표)
팩시밀리_ 02-333-2514
이메일_ lnovel.admin@gmail.com
L노벨 공식 카페_ http://cafe.naver.com/lnovel11

원제 netoge no yome wa onnanoko zya nai to omotta?

Edited by ASCII MEDIA WORKS
First published in 2015 by KADOKAWA CORPORATION, Tokyo.
Korean translation rights arranged with KADOKAWA CORPORATION, Tokyo, through KCC.

ISBN 979-11-278-1843-2 04830
ISBN 978-89-267-9843-0 (세트)

값 6,800원